Oscar classici

Charles Dickens

Ballata di Natale

Con un saggio di G.K. Chesterton
Traduzione di Emanuele Grazzi

OSCAR MONDADORI

© 2001 Arnoldo Mondadori Editore S.p.A., Milano
Titolo originale dell'opera: *A Christmas Carol*
Traduzione di Emanuele Grazzi
su licenza dell'Istituto Geografico De Agostini S.p.A., Novara

I edizione Oscar classici dicembre 2001

ISBN 978-88-04-50024-7

Questo volume è stato stampato
presso Mondadori Printing S.p.A.
Stabilimento NSM - Cles (TN)
Stampato in Italia - Printed in Italy

Ristampe:

4   5   6   7   8   9   10   11   12

2007   2008   2009   2010   2011

Introduzione[*]

Il noto paradosso della *Ballata di Natale* è insito nel titolo stesso. Tutti abbiamo sentito le ballate di Natale; e certamente tutti abbiamo sentito parlare del Natale. Eppure queste due cose sono note solamente in quanto tradizionali; e la tradizione ha spesso bisogno di essere difesa, come Dickens fa in questo suo racconto. Se il puritanesimo del diciassettesimo secolo o l'utilitarismo del diciannovesimo avessero incontrato miglior sorte, queste due cose sarebbero diventate, umanamente parlando, dei semplici dettagli di un passato negletto, un passato fatto di storia o persino di archeologia. La parola stessa «Natale» ci sembrerebbe ora obsoleta come il termine «Candelora» e anche la parola «ballata» ci apparirebbe antiquata quanto la composizione vocale nota col termine di villanella. In questo senso una ballata di Natale sarebbe solamente un tipo di composizione poetica, e il Natale un tipo di festività storica. Non ci viene naturale forse immaginare Dickens nei panni di difensore di una tale tradizione poetica e storica. Non compose versi, di storia non s'intendeva. I suoi libri

* Questo saggio è tratto da un testo di Gilbert Keith Chesterton, *G.K.C. as M.C.*, London, Methuen & Co. Ltd. 1929 (traduzione di Valentina Olivastri).

storici per ragazzi hanno lo stesso diritto di definirsi tali quanto può dirsi poetica la divertente canzone di Sam Weller, *Bold Turpin vunce*. Dickens ha salvato il Natale, non in quanto festività storica, ma in quanto appartenente all'umanità, e il suo racconto ci aiuta a capire quante cose altrettanto umane fossero state sacrificate alla storia.

Il tempismo di Dickens è stato ineccepibile, riuscendo così a mettere in salvo un'istituzione popolare quando era ancora in voga. Certo un centinaio di esteti sono sempre pronti a ripristinarla ma solamente dopo che sia stata puntualmente distrutta. Gli intellettuali attuali sono poi particolarmente zelanti quando possono riesumare un'usanza antica che sia andata distrutta proprio a causa loro. I ceti colti si disfano in continuazione delle tradizioni in quanto retaggio di bassa lega, e poi cercano di riesumarle come eccentrici reperti culturali. Gli intellettuali del ventesimo secolo si battano per un ritorno delle canzoni popolari e delle danze folkloristiche inglesi, proprio le stesse che gli intellettuali del diciannovesimo secolo condannarono come superstiziose e gli intellettuali del diciassettesimo come peccaminose. Sarebbe forse un'esagerazione affermare che una mente illuminata ha sempre torto. Ma non si correrebbe alcun rischio a dire almeno che è sempre in ritardo. Ma Dickens non lo era. Fu proprio perché lo scrittore era amato dal popolo, era uno di loro, che riuscì a far sentire il Natale come una tradizione popolare nel momento in cui le persone se ne stavano disamorando. Se ciò fosse avvenuto vent'anni dopo, quando il nuovo puritanesimo dell'era industriale aveva già fatto il suo corso, il piacere popolare del Natale si sarebbe trasformato in un godimento raffinato grazie al semplice fatto di essere diventato una rarità. I critici d'arte possono parlare delle squisite

proporzioni di un *plum pudding* nello stesso modo in cui disquisiscono su quelle di un bucchero; e le persone colte possono appendere la calza natalizia a lato del letto con lo stesso fare solenne con il quale appendono le tende firmate Morris. Ma nel momento storico in cui visse, Dickens poteva appellarsi a una tradizione viva e non a un'arte scomparsa. Riuscì a salvare il Natale invece di resuscitarlo dal dimenticatoio.

Nella *Ballata di Natale*, perciò, l'importanza morale e storica è ancora maggiore di quella letteraria e per questo assomiglia a un'altra opera di Dickens, che a prima vista può apparire come il suo perfetto contrario. *Ballata di Natale* è forse il suo racconto più gioviale e fantasioso. *Tempi difficili* è l'opera più realistica e più spietata, ma in entrambi i casi la bellezza morale supera forse quella artistica; ed entrambe hanno un'importanza maggiore nello studio dell'uomo che in quello dello scrittore. E sebbene la prima rappresenti una schermaglia in difesa dell'antica tradizione, e la seconda la fiera e conclusiva battaglia contro le nuove teorie, in entrambi i casi l'autore si batte per la medesima causa. Combatte contro un vecchio avaro di nome Scrooge, e un giovane taccagno di nome Gradgrind, e se quest'ultimo possiede tutte le caratteristiche dell'avaro tradizionale, il vecchio taccagno ha abbracciato le nuove teorie. Scrooge è un utilitarista e un individualista; vale a dire è un tirchio di nome e di fatto. Tira in ballo tutte le sofisticherie di cui si è avvalsa l'era industriale per trasformare il nobile spirito caritatevole in vizio. E questo non è niente. Scrooge non è solamente al passo con i tempi come Gradgrind ed appartiene ai difficili tempi della metà del secolo diciannovesimo ma anche a quelli più duri dell'inizio del ventesimo; proprio quelli in cui viviamo. Schiere

di garbati sociologi diranno, come dice Scrooge: «Lasciateli morire, cosicché diminuisca la popolazione in eccesso». Questa nuova versione implica che dovrebbero morire prima di nascere.

La risposta di Dickens, giusta e mirata, è certamente degna di nota e pregna di una spietata franchezza propria di un consumato e raffinato polemista. La risposta da dare a chiunque parli di popolazione in eccesso è chiedere se anche lui fa parte di tale eccesso, o nel caso in cui neghi, come fa a sapere di non appartenervi. Questa è la risposta che lo spirito natalizio dà a Scrooge; e in tutto questo scorre più di una sottile vena di ironia. Spicca, fra le altre, questa pungente verità morale: che Scrooge è precisamente quel tipo d'uomo che potrebbe parlare del povero inutile come se fosse insignificante e lontano ma è anche precisamente quel tipo di uomo che gli altri potrebbero considerare abbastanza insignificante, per non dire squallido, tanto da essere egli stesso inutile. C'è insomma una specie di sarcasmo ulteriore, oltre a quello che si può leggere in superficie, nell'immagine del povero straccio d'uomo così pieno di sé da credere che gli stracci e i rifiuti dell'umanità si possano tranquillamente spazzare via e distruggere a mezzo fuoco, nella figura dell'avaro che assomiglia tanto a un indigente, e che ordina con alterigia il massacro degli indigenti. Questo è ancora più vero nella vita moderna, e tutti abbiamo incontrato degli anormali tra le classi abbienti, di cui ci si prende gioco, come per abituale passatempo, permettendo loro di andare in giro a tener conferenze sull'anormalità dei poveri. Tutti abbiamo incontrato dei docenti universitari dal corpo sgraziato o rachitico e brutti da morire, i quali spiegano che, nell'interesse della razza, bisognerebbe eliminare in modo indolore un po' tutti, tranne i forti e

i belli. Abbiamo tutti visto gli studiosi più sedentari e pacifici provare, nei loro scritti, che nessuno dovrebbe sopravvivere tranne i vincitori di guerre di aggressione e della lotta per la vita. Tutti abbiamo sentito i ricchi oziosi spiegare i motivi per cui i poveri oziosi meritano di essere abbandonati a morire di fame. Sopravvive in tutto questo lo spirito di Scrooge, in modo particolare nell'ironia fondamentale secondo cui il protagonista non è consapevole del fatto che la propria argomentazione si applica al proprio caso. Ma ad esser giusti nei confronti di Scrooge, bisogna ammettere che sotto certi aspetti gli ulteriori sviluppi della sua filosofia pagana sono andati ben oltre. Se Scrooge era un individualista, possedeva una parte del bene, come quella del male insito nell'individualismo. Perlomeno credeva nella libertà negativa degli utilitaristi. Era disposto a vivere e a lasciar vivere, anche se la qualità del vivere era assai prossima a quella del morire e del lasciar morire. Lui si sorbiva la pappina mentre suo nipote prendeva il ponce, ma non gli sarebbe mai venuto in mente di poter proibire con la forza a un adulto come suo nipote di consumare il ponce, o di costringerlo con la forza a prendere la pappina. In questo senso era molto più indietro della ferocia e della tirannia dei riformatori sociali del nostro tempo. Se Scrooge si rifiutava di partecipare a un sistema di fornitura di pranzi natalizi, non partecipava nemmeno a un sistema (come invece fanno i riformatori) inteso a togliere i pranzi natalizi a coloro che li hanno già ottenuti. Scrooge non condivideva l'idea blasfema di abolire la birra natalizia nei ricoveri per mendicanti fornita dalla carità del popolo cristiano. Senza dubbio avrebbe considerato tale carità una follia, ma avrebbe anche pensato che eliminarla, una volta introdotta, sarebbe stato un furto. Non avrebbe pensato che fosse nor-

male inseguire Bob Cratchit fino a casa sua, spiarlo, rubargli il tacchino, fregargli la caraffa del ponce, rapirgli il figlio handicappato, e poi sbatterlo in galera come minorato mentale. Per fare tutto questo avrebbe dovuto essere l'impiegato più illuminato di un'era più progressista di quella in cui fu scritta la *Ballata di Natale*. Queste pagliacciate erano ben al di là delle attività del povero Scrooge, la cui figura brilla al confronto di un certo umorismo e di una certa umanità.

Gilbert Keith Chesterton

Cronologia

1812
Nasce il 7 febbraio a Landport, un sobborgo di Portsmouth, dove il padre è impiegato presso l'ufficio paghe della Marina. È il secondo degli otto figli di John ed Elizabeth Dickens.

1814
La famiglia Dickens si trasferisce a Londra.

1816-1821
Il padre viene trasferito a Chatham, nel Kent, dove Charles, già accanito lettore, frequenta la scuola. Sono gli anni più felici della sua infanzia.

1822
Una ristrutturazione nell'amministrazione costa al padre il posto di lavoro e la maggior parte del reddito familiare. La famiglia Dickens si trasferisce nuovamente a Londra, a Camden Town.

1824
Il 2 febbraio il padre viene arrestato per debiti e imprigionato a Marshalsea, dove lo segue la famiglia. Charles è costretto ad abbandonare la scuola e messo a lavorare in una fabbrica di lucido da scarpe, la Warren's Blacking Factory. Dopo il rilascio del padre, il 28 maggio, la famiglia torna a vivere a Camden Town. Charles frequenta la scuola di Hampstead Road, a Londra.

1824-1827
Frequenta la Wellington House Academy.

1827
Diventa apprendista presso uno studio legale. Decide di diventare giornalista.

1829
È cronista e stenografo parlamentare.

1830
Conosce Maria Beadnell e se ne innamora.

1831
È corrispondente per la cronaca parlamentare durante le agitazioni per il *Reform Bill*.

1833
Finisce la sua storia con Maria Beadnell. Sul *Monthly Magazine* viene pubblicato il suo primo racconto, *Dinner at Poplar Walk*.

1834
Per il proprio lavoro di giornalista adotta lo pseudonimo di *Boz*. Il padre viene nuovamente tratto in arresto per debiti; Charles accorre in suo aiuto.

1835
Si fidanza con Catherine Hogarth, figlia del suo amico ed editore George Hogarth.

1836
Viene pubblicata la prima serie degli *Sketches by Boz*, per i quali riceve 150 sterline; il 30 marzo comincia la pubblicazione mensile di *The Posthumous Papers of the Pickwickian Club*, che lo consacrano come uno degli scrittori più promettenti della sua generazione; il 2 aprile si sposa con Catherine Hogarth; in dicembre esce la seconda serie degli *Sketches by Boz*; conosce John Forster, che diventerà suo intimo amico e il suo primo biografo.

1837
Muore Mary Hogarth, la cognata da lui tanto venerata, il cui ricordo lo tormenterà per il resto della vita; comincia *Oliver Twist*, che esce mensilmente sulla *Bentley's Miscellany*; Catherine gli dà il primo di sette maschi e tre femmine; si concludono i *Pickwick Papers*.

1838
Comincia *Nicholas Nickleby*.

1839
Dirige la «Bentley's Miscellany», da cui nello stesso anno dà le dimissioni; in aprile esce l'ultima parte di *Oliver Twist*. In ottobre si conclude *Nicholas Nickleby*.

1840
Esce il primo numero della rivista settimanale «Master Humphrey's Clock»; comincia *The Old Curiosity Shop*.

1841
A febbraio finisce *The Old Curiosity Shop*; comincia *Barnaby Rudge*, che continua fino a tutto novembre.

1842
Da gennaio a giugno primo viaggio negli Stati Uniti e in Canada; in ottobre escono le *American Notes for General Circulation*.

1843
Comincia *Martin Chuzzlewit*; a dicembre esce il primo racconto di Natale: *A Christmas Carol*.

1844
Viaggio in Italia con la famiglia; ritorna a Londra in dicembre, periodo della pubblicazione di *The Chimes*. Lascia nuovamente Londra per Genova.

1845
Debutto della sua compagnia teatrale amatoriale; pubblicazione di *The Cricket on the Hearth*; ritorno in Inghilterra in giugno; dirige *The Daily News*, cui contribuisce con molto materiale originale.

1846
Comincia *Dombey and Son*, che continua sino all'aprile del 1848. Viaggia con la famiglia a Losanna, poi a Parigi. Pubblica *Pictures from Italy* e a dicembre *The Battle of Life*.

1847
Torna in Inghilterra.

1848
Scrive frammenti autobiografici. Dirige compagnie teatrali dilettanti cui prende parte anche come attore; a dicembre esce l'ultimo dei racconti di Natale, *The Haunted Man*.

1849
Comincia la pubblicazione di *David Copperfield*.

1850
A novembre si conclude *David Copperfield*; fonda e dirige il settimanale «Household Words», su cui pubblica romanzi e racconti.

1851
Comincia a lavorare a *Bleak House*; la famiglia Dickens si trasferisce a Tavistock House.

1852
Comincia la pubblicazione mensile di *Bleak House*.

1853
Bleak House finisce in settembre; gira l'Italia con Augustus Egg e Wilkie Collins; torna in Inghilterra, dove in dicembre inizia a dare le sue letture pubbliche, per beneficenza.

1854
Fino ad agosto appare settimanalmente *Hard Times*, su «Household Words».

1855
Con la famiglia si reca a Parigi in ottobre. Comincia la pubblicazione mensile di *Little Dorrit*.

1856
Collabora con Wilkie Collins a una commedia, *The Frozen Deep*. Acquista Gad's Hill Place, nel Kent, una tenuta che ha ammirato sin da bambino, realizzando così un sogno infantile.

1857
In giugno finisce *Little Dorrit*; trascorre l'estate con la famiglia nella ristrutturata tenuta del Kent, dove riceve la visita di Hans Christian Andersen, di cui Dickens è grande ammiratore; la sua compagnia teatrale mette in scena *The Frozen Deep* per la Regina. Comincia a frequentare la giovane attrice Ellen Ternan.

1858
Ad aprile inizia una nuova serie di letture pubbliche, questa volta a pagamento; a maggio si separa dalla moglie Catherine; litigio con Thackeray.

1859
Continua le letture a Londra. Fonda un nuovo settimanale, «All the Year Round»; comincia la pubblicazione di *A Tale of Two Cities*, che continua fino a tutto novembre.

1860
La famiglia si trasferisce stabilmente a Gad's Hill; brucia molte lettere personali; comincia la pubblicazione settimanale di *Great Expectations*.

1861
Comincia una nuova serie di letture pubbliche a Londra; in agosto si conclude *Great Expectations*.

1862
Continua le letture pubbliche.

1863
Prosegue le letture a Parigi e a Londra. Si riconcilia con Thackeray poco prima della morte di quest'ultimo.

1864
Inizia la pubblicazione mensile di *Our Mutual Friend*. Comincia ad avere problemi di salute, soprattutto a causa dell'eccesso di lavoro.

1865
È coinvolto, insieme a Ellen Ternan, in un incidente ferroviario cui sopravvive per miracolo; la sua salute peggiora; *Our Mutual Friend* si conclude in novembre.

1866
Continua le letture pubbliche in Inghilterra e in Scozia.

1867
Letture pubbliche in Inghilterra e in Irlanda; non sta bene, ma prosegue, contro il parere dei medici; si imbarca per gli Stati Uniti per una nuova serie di letture.

1868
Conclude il tour americano; la salute peggiora, ma si accolla nuovi compiti a «All the Year Round».

1869
Continua le letture in Inghilterra, Scozia e Irlanda, ma in aprile deve interrompere in seguito a un collasso fisico e mentale; comincia *The Mystery of Edwin Drood*.

1870
Da gennaio a marzo letture pubbliche a Londra; in aprile comincia a pubblicare *The Mystery of Edwin Drood*; un attacco di cuore lo colpisce l'8 giugno a Gad's Hill, al termine di una giornata di lavoro intenso. Muore il 9 giugno e viene seppellito il 14 nell'Abbazia di Westminster, nell'«Angolo dei Poeti». In settembre vengono pubblicate le ultime pagine di *The Mystery of Edwin Drood*, che rimane quindi incompiuto.

Bibliografia

Prime edizioni

Sketches by boz (1833-36)
Pickwick Papers (1836-37)
Oliver Twist (1837-38)
Nicholas Nickleby (1838-39)
The Old Curiosity Shop (1840-41)
Barnaby Rudge (1841)
American Notes (1842)
Martin Chuzzlewit (1843-44)
Pictures from Italy (1846)
Dombey and Son (1846-48)
David Copperfield (1849-50)
Bleak House (1852-53)
Hard Times (1854)
Little Dorrit (1855-57)
A Tale of Two Cities (1859)
Great Expectations (1860-61)
Our Mutual Friend (1864-65)
The Mystery of Edwin Drood (incompiuto, 1870)

Rivede e pubblica l'autobiografia di Joseph Grimaldi (*The memoirs of Grimaldi*, 1838).
Fonda e dirige le due riviste: «Household Words» (1850-59) e «All the Year Round» (1859-70), su cui pubblica, oltre alle puntate dei suoi romanzi, numerosi racconti e bozzetti. Scrive vari testi teatrali, tra cui:

The Strange Gentleman, *The Village Coquettes* (1836), *Is She
His Wife?* (1837), *Mr Nightingale's Diary* (con Mark Le-
mon, 1851) e *The Frozen Deep* (con Wilkie Collins, 1856).

Bibliografia critica

Essendo la bibliografia su Dickens vastissima, l'elenco qui
presentato può risultare incompleto. Per informazioni più
dettagliate si rimanda a Chialant - Pagetti, *La città e il tea-
tro. Dickens e l'immaginario vittoriano*, Roma 1988, corre-
dato di un'ampia e accurata rassegna bibliografica.

Forster, J., *The Life of Charles Dickens*, 1872-74; ristampa,
    London 1966.
Gissing, G., *Charles Dickens. A Critical Study*, London
    1898.
Chesterton, G. K., *Charles Dickens*, London 1906.
Pierce, G. A., *The Dickens Dictionary: a Key to the Charac-
    ters and Principal Incidents*, London 1924.
Gissing, G., *The Immortal Dickens*, London 1925.
Hayward, A. L., *The Dickens Encyclopaedia*, London 1931.
Chesterton, G. K., *Criticism and Appreciations of the Works
    of Charles Dickens*, London 1933.
Johns, J., *Charles Dickens: His Tragedy and Triumph*, Lon-
    don 1952.
Praz, M., *La crisi dell'eroe nel romanzo vittoriano*, Firenze
    1952.
Izzo, C., *Autobiografismo in Charles Dickens*, Venezia 1954.
Ford, G. H., *Dickens and His Readers*, Princeton 1955.
Butt, J. - Tillotson, K., *Dickens at Work*, London 1957.
Dupee, F. W.(a cura di), *The Selected Letters of Charles
    Dickens*, New York 1960.
Fielding, K. J., *The Speeches of Charles Dickens*, Oxford
    1960.
House, H., *The Dickens World*, New York and London
    1960.
Ford, G. H. – Lane, L. (a cura di), *The Dickens Critics*,
    Ithaca 1961.

Auden, W. H. «Dingley Well and the Fleet», in *Selected Essays*, London 1962.

Gross, J. - Pearson, G. (a cura di), *Dickens and the Twentieth Century*, London 1962.

Collins, P., *Dickens and Crime*, Bloomington 1963.

Collins, P., *Dickens and Education*, London 1963-1987.

Cockshut, A. O. J., *The Imagination of Charles Dickens*, London 1965.

Fielding, K. J., *Charles Dickens: A Critical Introduction*, London 1965.

Fleissner, R. F., *Dickens and Shakespeare*, London 1965.

Garis, R., *The Dickens Theatre*, Oxford 1965.

Stoher, T., *Dickens: the dreamer's stance*, Ithaca 1965.

Axton, W. F., *Circle of Fire. Dickens's Vision and Style and the Popular Victorian Theatre*, Lexington 1966.

Dyson, A. E., *Dickens: Modern Judgements*, London 1968.

Frye, N., *Dickens and the Comedy of Humours*, in *Experience in the Novel: Selected Papers from the English Institute* (a cura di R. H. Pierce), New York 1968.

Runcini, R., *Illusione e paura nel mondo borghese da Dickens a Orwell*, Bari 1968.

Smith, G., *Dickens, Money and Society*, Berkeley 1968.

Butt, J., *Dickens's Christmas Books*, in *Pope, Dickens and Others*, Edinburgh 1969.

Dyson, A. E., *The Inimitable Dickens: A Reading of the Novels*, London 1970.

Hardy, B., *The Moral Art of Charles Dickens*, London 1970.

Leavis, F. R. - Leavis, Q. D., *Dickens the Novelist*, London 1970.

Lucas, J., *The melancholy man: a study of Dickens's novels*, London 1970.

Sucksmith, H. P., *The Narrative Art of Charles Dickens. The Rhetoric of Sympathy and Irony in His Novels*, Oxford 1970.

Tillotson, L.,*The Middle Years: From the* Carol *to* Copperfield, in *Dickens Memorial Lectures*, London 1970.

Wall, S., *Charles Dickens: A Critical Anthology*, Harmondworth 1970.

Williams, R., *The English Novel from Dickens to Lawrence*, London 1970.

Wilson, A., *The World of Charles Dickens*, London 1970.

Kincaid, J. R., *Dickens and the Rhetoric of Laughter*, Oxford 1971.

Nisbet, A. - Nevius, B. (a cura di), *Dickens Centennial Essays*, Berkeley 1971.

Slater, M. (a cura di), *Charles Dickens: The Christmas Books*, Harmondsworth 1971.

Sucksmith, H. P., *The Secret of Immediacy: Dickens's Debt to the Tale of Terror in Blackwood's*, in *Nineteenth Century Fiction*, 1971, vol. 26, pp.145-57.

Wall, J. (a cura di), *The Victorian Novel*, Oxford 1971.

Welsh, A., *The City of Dickens*, Oxford 1971.

Carey, J., *The Violent Effigy: a Study of Dickens's Imagination*, Cambridge, Mass., 1974.

Buckley, J. H., *Season of Youth. The Bildungsroman from Dickens to Golding*, Cambridge, Mass., 1974.

Kaplan, F., *Dickens and Mesmerism: the Hidden Springs of Fiction*, Princeton 1975.

Hardy, B., *Charles Dickens. The Later Novels*, London 1977.

Romano, J., *Dickens and Reality*, New York 1978.

Schwarzbach, F. S., *Dickens and the City*, London 1979.

Stone, H., *Dickens and the Invisible World: Fairy Tales, fantasy and novel-making*, London 1980.

Collins, P., *Charles Dickens: Interviews and Recollections*, London 1981.

Horton, S., *The Reader in the Dickensian World: Style and Response*, London 1981.

Kaplan, F. (a cura di), *Charles Dickens Book of Memoranda*, London 1981.

Newman, J., *Dickens at Play*, London 1981.

Kukich, J., *Excess and Restraint in the Works of Charles Dickens*, Athens 1981.

Brown, J. M., *Dickens: Novelist in the Market-Place*, Totowa 1982.

Citati, P., *Il migliore dei mondi impossibili*, Milano 1982.

Sadoff, D. F., *Monsters of Affection: Dickens, Eliot and Brontë on Fatherhood*, Baltimore 1982.

Thomas, D. A., *Dickens and the Short Story*, Philadelphia 1982.

Collins, P. (a cura di), *Charles Dickens. Sikes and Nancy and Other Public Readings*, Oxford 1983.

Giddings, R. (a cura di), *The Changing World of Charles Dickens*, London 1983.

Hollington, M., *Dickens and the Grotesque*, London 1983.

Brooks, P., *Reading for the Plot: Design and Intention in Narrative*, Oxford 1984.

Buckley, J. H., *The Turning Key. Autobiography and the Subjective Impulse since 1800*, Cambridge, Mass., 1984.

Golding, R., *Idiolects in Dickens*, London 1985.

Martin, G., *Great Expectations*, Milton Keynes 1985.

Schlicke, P., *Dickens and Popular Entertainment*, London 1985.

Spina, G., *Charles Dickens. L'uomo e la folla*, Genova 1985.

Moretti, F., *Il romanzo di formazione*, Milano 1986.

Flint, K., *Dickens*, Brighton 1986.

Bloom, H. (a cura di), *Charles Dickens: Modern Critical Views*, New York 1987.

Daldry, G., *Charles Dickens and the Form of the Novel*, London and Sydney 1987.

McMaster, J., *Dickens the Designer*, London 1987.

Stone, H. (a cura di), *Dickens's Working Notes for His Novels*, Chicago 1987.

Watkins, G., *Dickens in Search of Himself*, London 1987.

Chialant, M. T., *Ciminiere e cavalli alati*, Napoli 1988.

Eigner, E. M., *The Dickens Pantomime*, Berkeley 1989.

Bradbury, N., *Charles Dickens's Great Expectations*, Hemel Hampstead 1990.

Litvak, J., *Caught in the act. Theatricality in the Nineteenth Century English Novel*, Berkeley 1992.

A Christmas Carol

Ballata di Natale

Preface

I have endeavoured in this Ghostly little book, to rise the Ghost of an Idea, which shall not put my readers out of humour with themselves, with each other, with the season, or with me. May it haunt their house pleasantly, and no one wish to lay it.

Their faithful Friend and Servant,
C.D.

December 1843

Prefazione

In questo libretto che parla di fantasmi ho cercato di evocarne uno: il fantasma di un'idea che non lascerà i miei lettori insoddisfatti di se stessi né degli altri, della stagione o di me. Mi auguro che questo fantasma possa infestare la loro casa con allegria e che a nessuno venga in mente di dargli l'eterno riposo.

Vostro fedele amico e servitore,
C.D.

Dicembre 1843

Marley's Ghost

Marley was dead: to begin with. There is no doubt whatever about that. The register of his burial was signed by the clergyman, the clerk, the undertaker, and the chief mourner. Scrooge signed it. And Scrooge's name was good upon «Change», for anything he chose to put his hand to. Old Marley was as dead as a door-nail.

Mind! I don't mean to say that I know, of my own knowledge, what there is particularly dead about a door-nail. I might have been inclined, myself, to regard a coffin-nail as the deadest piece of ironmongery in the trade. But the wisdom of our ancestors is in the simile; and my unhallowed hands shall not disturb it, or the Country's done for. You will therefore permit me to repeat, emphatically, that Marley was as dead as a door-nail.

Scrooge knew he was dead? Of course he did. How could it be otherwise? Scrooge and he were partners for I don't know how many years. Scrooge was his sole executor, his sole administrator, his sole

Lo spettro di Marley

Marley era morto, tanto per incominciare, e su questo punto non c'era dubbio possibile. Il registro della sua sepoltura era stato firmato dal suo sacerdote, dal chierico, dall'impresario delle pompe funebri e da colui che conduceva il funerale. Scrooge lo aveva firmato, e alla Borsa il nome di Scrooge era buono per qualsiasi cosa che egli decidesse di firmare. Il vecchio Marley era morto come un chiodo confitto in una porta.

Badate bene che con questo io intendo di dire che so di mia propria scienza che cosa ci sia di particolarmente morto in un chiodo confitto in una porta; personalmente, anzi, propenderei piuttosto a considerare un chiodo confitto in una bara come il pezzo di ferraglia più morto che si possa trovare in commercio. Ma in quella similitudine c'è la saggezza dei nostri antenati, che le mie mani inesperte non possono permettersi di disturbare, altrimenti il paese andrà in rovina. Vogliate pertanto permettermi di ripetere con massima enfasi che Marley era morto come un chiodo confitto in una porta.

Scrooge sapeva che era morto? Senza dubbio; come avrebbe potuto essere altrimenti? Scrooge e lui erano stati soci per non so quanti anni; Scrooge era il suo unico esecutore testamentario, il suo unico

assign, his sole residuary legatee, his sole friend, and sole mourner. And even Scrooge was not so dreadfully cut up by the sad event, but that he was an excellent man of business on the very day of the funeral, and solemnised it with an undoubted bargain. The mention of Marley's funeral brings me back to the point I started from. There is no doubt that Marley was dead. This must be distinctly understood, or nothing wonderful can come of the story I am going to relate. If we were not perfectly convinced that Hamlet's Father died before the play began, there would be nothing more remarkable in his taking a stroll at night, in an easterly wind, upon his own ramparts, than there would be in any other middle-aged gentleman rashly turning out after dark in a breezy spot – say Saint Paul's Churchyard for instance – literally to astonish his son's weak mind.

Scrooge never painted out Old Marley's name. There it stood, years afterwards, above the warehouse door: Scrooge and Marley. The firm was known as Scrooge and Marley. Sometimes people new to the business called Scrooge Scrooge, and sometimes Marley, but he answered to both names. It was all the same to him.

Oh! But he was a tight-fisted hand at the grindstone, Scrooge! a squeezing, wrenching, grasping, scraping, clutching, covetous, old sinner! Hard and sharp as flint, from which no steel had ever struck out generous fire; secret, and self-contained, and solitary as an oyster. The cold within him froze his old features, nipped his pointed nose, shrivelled his cheek, stiffened his gait; made his eyes red, his thin

procuratore, il suo unico amministratore, il suo unico erede, il suo unico amico e l'unico che ne portasse il lutto; e neanche Scrooge era così terribilmente sconvolto da quel doloroso avvenimento da non rimanere un eccellente uomo di affari anche nel giorno stesso del funerale e da non averlo solennizzato con un affare inatteso e particolarmente buono.

Menzionare il funerale di Marley mi ha ricondotto al punto dal quale ero partito. Non c'è alcun dubbio che Marley era morto. Questo dev'essere perfettamente chiaro; altrimenti nulla di meraviglioso potrà uscire dalla storia che sto per narrare. Se non fossimo perfettamente convinti che il padre di Amleto era morto prima che cominciasse la tragedia, nel fatto che egli passeggiasse di notte, al vento di levante, sui bastioni del proprio castello, non ci sarebbe niente di più notevole di quello che ci sarebbe se qualunque altro signore di mezza età spuntasse fuori improvvisamente, dopo il tramonto, in una località battuta dal vento – diciamo, per esempio, nel cimitero di St Paul – per impressionare la mente debole di suo figlio.

Scrooge non aveva mai cancellato il nome del vecchio Marley. Anche dopo qualche anno si poteva leggerlo sopra la porta del magazzino: *Scrooge e Marley*. La ditta era conosciuta come «Scrooge e Marley». A volte le persone, che non erano molto al corrente, chiamavano Scrooge Scrooge e a volte lo chiamavano Marley, ma egli rispondeva ad ambedue i nomi. Per lui era perfettamente lo stesso.

Oh... però Scrooge era un uomo che aveva la mano pesante; duro e aspro, come la cote, dalla quale non c'era acciaio che fosse mai riuscito a far sprizzare una scintilla di fuoco generoso; segreto, chiuso in se stesso e solitario come un'ostrica. La sua frigidità interiore congelava i suoi vecchi lineamenti, gli pungeva il naso aguzzo, gli corrugava le guance, irrigidi-

lips blue; and spoke out shrewdly in his grating voice. A frosty rime was on his head, and on his eyebrows, and his wiry chin. He carried his own low temperature always about with him; he iced his office in the dogdays; and didn't thaw it one degree at Christmas.

External heat and cold had little influence on Scrooge. No warmth could warm, no wintry weather chill him. No wind that blew was bitterer than he, no falling snow was more intent upon its purpose, no pelting rain less open to entreaty. Foul weather didn't know where to have him.

The heaviest rain, and snow, and hail, and sleet, could boast of the advantage over him in only one respect. They often «came down» handsomely, and Scrooge never did.

Nobody ever stopped him in the street to say, with gladsome looks: «My dear Scrooge, how are you? When will you come to see me?». No beggars implored him to bestow a trifle, no children asked him what it was o'clock, no man or woman ever once in all his life inquired the way to such and such a place, of Scrooge. Even the blind men's dogs appeared to know him; and when they saw him coming on, would tug their owners into doorways and up courts; and then would wag their tails as though they said: «No eye at all is better than an evil eye, dark master!».

But what did Scrooge care! It was the very thing he liked. To edge his way along the crowded paths of life, warning all human sympathy to keep its distance, was what the knowing ones call «nuts» to Scrooge».

va la sua andatura; gli faceva diventar rossi gli occhi e turchine le labbra sottili e si esprimeva tagliente nella sua voce gutturale. Sulla sua testa, sulle ciglia e sul mento peloso c'era uno strato di ghiaccio. Portava sempre con sé la sua bassa temperatura, gelava il suo ufficio nei giorni della canicola e non lo sgelava neppure di un grado a Natale.

Il caldo e il freddo esterni avevano scarsa influenza su Scrooge; nessun calore poteva riscaldarlo e nessuna brezza invernale raffreddarlo. Non poteva soffiare un vento che fosse più aspro di lui, non poteva cadere neve che fosse più decisa a raggiungere il suo scopo, non c'era pioggia diluviale che fosse meno disposta a lasciarsi persuadere. Il cattivo tempo non aveva presa su di lui. La pioggia più dirotta, la neve, la grandine e il nevischio potevano vantare una sola superiorità nei suoi confronti, e cioè che spesso venivano giù non senza bellezza. Scrooge mai.

Nessuno lo fermava mai per strada per dirgli, con una espressione gioviale: «Mio caro Scrooge, come state; quando verrete a trovarmi?». Non c'era mendicante che lo implorasse di dargli un centesimo, non c'era bambino che gli chiedesse l'ora, non c'era uomo o donna che chiedesse mai a Scrooge, nemmeno una volta in vita sua, la strada per andare in questo o in quel posto. Perfino i cani dei ciechi sembrava che lo conoscessero e, quando lo vedevano arrivare, trascinavano i loro padroni dentro un portone o un cortile e poi agitavano la coda, come per dire: «Caro padrone, è meglio non aver occhi che avere il malocchio».

Ma di questo Scrooge non si dava pena; anzi, era proprio ciò che gli piaceva. Aprirsi la strada nel sentiero affollato della vita, ammonendo qualunque umana simpatia di tenersi a distanza, era per lui ciò che più gli andava a genio.

Once upon a time – of all the good days in the year, on Christmas Eve – old Scrooge sat busy in his counting-house. It was cold, bleak, biting weather: foggy withal, and he could hear the people in the court outside, go wheezing up and down, beating their hands upon their breasts, and stamping their feet upon the pavement stones to warm them. The city clocks had only just gone three, but it was quite dark already – it had not been light all day – and candles were flaring in the windows of the neighbouring offices, like ruddy smears upon the palpable brown air. The fog came pouring in at every chink and keyhole, and was so dense without, that although the court was of the narrowest, the houses opposite were mere phantoms. To see the dingy cloud come drooping down, obscuring everything, one might have thought that Nature lived hard by, and was brewing on a large scale.

The door of Scrooge's counting-house was open that he might keep his eye upon his clerk, who in a dismal little cell beyond, a sort of tank, was copying letters. Scrooge had a very small fire, but the clerk's fire was so very much smaller that it looked like one coal. But he couldn't replenish it, for Scrooge kept the coal-box in his own room; and so surely as the clerk came in with the shovel, the master predicted that it would be necessary for them to part. Wherefore the clerk put on his white comforter, and tried to warm himself at the candle; in which effort, not being a man of a strong imagination, he failed.

«A merry Christmas, uncle! God save you!» cried a cheerful voice. It was the voice of Scrooge's nephew,

Una volta – e, fra tutti i giorni dell'anno, proprio la vigilia di Natale, – il vecchio Scrooge stava lavorando nel suo ufficio. Era una giornata fredda, sinistra, pungente, nebbiosa; ed egli poteva sentire, fuori nel cortile, la gente passeggiare in su e in giù e picchiarsi il petto con le mani e pestare i piedi sulle pietre del lastrico per riscaldarsi. Gli orologi della città avevano appena battuto le tre, ma era già completamente buio e, del resto, non c'era mai stata luce in tutta la giornata; e nelle finestre degli uffici vicini luccicavano le candele, simili a macchie rossastre sulla densa aria bruna. La nebbia si infiltrava attraverso le fessure e la serratura e fuori era così densa che, per quanto il cortile fosse uno dei più angusti, le case di fronte non erano che puri fantasmi. Vedere quella nuvola scura scendere lentamente in basso e oscurare tutto quanto faceva pensare che la Natura vivesse a due passi di lì e stesse fabbricando birra su larga scala.

La porta dell'ufficio di Scrooge era aperta, così da permettergli di tener d'occhio il suo impiegato, il quale stava copiando certe lettere in una celletta sinistra che sembrava una cisterna. Nella stanza di Scrooge c'era un fuoco molto piccolo; ma quello dell'impiegato era tanto più piccolo che sembrava fatto di un solo pezzo di carbone. Egli però non poteva rifornirlo, perché Scrooge teneva la cassetta del carbone nella sua stanza, e non appena l'impiegato entrava con la paletta in mano, il padrone prediceva invariabilmente che la loro separazione era ormai inevitabile. Pertanto, l'impiegato si stringeva intorno al collo una sua sciarpa bianca e cercava di scaldarsi alla candela, sforzo nel quale, non essendo uomo dotato di una forte immaginazione, non riusciva.

«Buon Natale, zio! Dio vi protegga!» gridò una voce allegra, quella del nipote di Scrooge, che gli era arrivato addosso così rapidamente che quel saluto

who came upon him so quickly that this was the first intimation he had of his approach.

«Bah!» said Scrooge «Humbug!»

He had so heated himself with rapid walking in the fog and frost, this nephew of Scrooge's, that he was all in a glow; his face was ruddy and handsome; his eyes sparkled, and his breath smoked again.

«Christmas a humbug, uncle?» said Scrooge's nephew. «You don't mean that, I am sure!»

«I do» said Scrooge. «Merry Christmas! What right have you to be merry? What reason have you to be merry? You're poor enough.»

«Come, then» returned the nephew gaily. «What right have you to be dismal? What reason have you to be morose? You're rich enough.»

Scrooge having no better answer ready on the spur of the moment, said «Bah!» again; and followed it up with «Humbug!».

«Don't be cross, uncle!» said the nephew.

«What else can I be» returned the uncle, «when I live in such a world of fools as this? Merry Christmas! Out upon Merry Christmas! What's Christmas time to you but a time for paying bills without money; a time for finding yourself a year older, but not an hour richer; a time for balancing your books and having every item in 'em through a round dozen of months presented dead against you? If I could work my will,» said Scrooge indignantly, «every idiot who goes about with "Merry Christmas" on his lips should be boiled with his own pudding, and buried with a stake of holly through his heart. He should!»

«Uncle!» pleaded the nephew.

«Nephew!» returned the uncle sternly, «keep

era stato la prima notizia ch'egli avesse ricevuto del suo avvicinarsi.

«Bah,» disse Scrooge «stupidaggini!»

A forza di camminare in fretta nella nebbia e nel gelo questo nipote di Scrooge si era talmente riscaldato che era come tutto infuocato. Aveva un viso rosso e simpatico, gli occhi gli scintillavano e il suo alito fumava.

«Natale una stupidaggine, zio?» disse il nipote di Scrooge. «Sono sicuro che non pensi una cosa simile.»

«Certo che la penso» disse Scrooge. «Buon Natale! Che diritto hai tu di essere allegro? Che ragione hai tu di essere allegro? Sei povero abbastanza.»

«Andiamo, via» rispose allegro il nipote. «Che diritto hai tu di essere triste? Che ragione hai di essere accigliato? Sei ricco abbastanza.»

Scrooge, non trovando lì per lì una risposta migliore, disse un'altra volta: «Bah!». Poi soggiunse: «Stupidaggini».

«Non ti arrabbiare, zio» disse il nipote.

«Come potrei non arrabbiarmi» rispose lo zio «quando vivo in un mondo di cretini come questo? Buon Natale! In giro per augurare *Buon Natale!* Che cosa è il Natale per te se non il momento in cui devi pagare dei conti senza avere denari; il momento in cui ti trovi più vecchio di un anno, e non più ricco di un'ora? Un momento nel quale devi fare il bilancio della tua contabilità, nel quale ogni posta, nel giro completo di dodici mesi, si presenta passiva contro di te? Se le cose andassero come vorrei io,» disse Scrooge indignato «tutti gli idioti che vanno in giro con *Buon Natale!* sulle labbra dovrebbero essere fatti bollire insieme col loro *pudding* e sepolti con una spina di agrifoglio nel cuore. Così dovrebbe essere!»

«Ma, zio!» supplicò il nipote.

«Ma, nipote!» rispose severamente lo zio. «Fa' il

Christmas in your own way, and let me keep it in mine.»

«Keep it!» repeated Scrooge's nephew. «But you don't keep it.»

«Let me leave it alone, then» said Scrooge. «Much good may it do you! Much good it has ever done you!»

«There are many things from which I might have derived good, by which I have not profited, I dare say,» returned the nephew. «Christmas among the rest. But I am sure I have always thought of Christmas time, when it has come round – apart from the veneration due to its sacred name and origin, if anything belonging to it can be apart from that – as a good time; a kind, forgiving, charitable, pleasant time: the only time I know of, in the long calendar of the year, when men and women seem by one consent to open their shut-up hearts freely, and to think of people below them as if they really were fellow-passengers to the grave, and not another race of creatures bound on other journeys. And therefore, uncle, though it has never put a scrap of gold or silver in my pocket, I believe that it has done me good, and will do me good; and I say, God bless it!»

The clerk in the Tank involuntarily applauded. Becoming immediately sensible of the impropriety, he poked the fire, and extinguished the last frail spark for ever.

«Let me hear another sound from you,» said Scrooge, «and you'll keep your Christmas by losing

tuo Natale a modo tuo e lascia che io lo faccia a modo mio.»

«Farlo a modo tuo!» replicò il nipote di Scrooge. «Se non lo fai per niente!»

«Allora permetti che io non me ne dia pensiero» disse Scrooge «e buon pro ti faccia, come ti ha sempre fatto.»

«Ci sono molte cose, credo, che possono avermi fatto del bene senza che io ne abbia ricavato profitto» replicò il nipote «e Natale è una di queste. Ma sono sicuro che ho sempre considerato il periodo natalizio, quando è venuto – a prescindere dalla venerazione dovuta al suo nome e alla sua origine sacra, se qualunque cosa che ad esso si riferisce può esser tenuta separata da questa venerazione – come buono; un periodo di gentilezza, di perdono, di carità, di gioia; l'unico periodo che io conosca, in tutto il lungo calendario di un anno, nel quale gli uomini e le donne sembrano essere d'accordo nello schiudere liberamente i loro cuori serrati e nel pensare alla gente che è al disotto di loro come se si trattasse realmente di compagni nel viaggio verso la tomba, e non di un'altra razza di creature che viaggia verso altre mete. E per questo, zio, anche se il Natale non mi ha mai fatto entrare in tasca una moneta d'oro, e neanche d'argento, credo che mi abbia fatto bene e che mi farà bene, e dico che ne ringrazio Iddio.»

L'impiegato, dalla sua cisterna, applaudì involontariamente; poi, rendendosi conto immediatamente della sconvenienza del suo atto, stuzzicò il fuoco con le molle e così ne spense per sempre l'ultima debole scintilla.

«Se mi fate sentire un altro rumore» disse Scrooge «festeggerete il Natale perdendo il vostro impiego. Sei davvero un oratore straordinario» soggiunse, ri-

your situation! You're quite a powerful speaker, sir» he added, turning to his nephew. «I wonder you don't go into Parliament.»

«Don't be angry, uncle. Come! Dine with us tomorrow.»

Scrooge said that he would see him – yes, indeed he did. He went the whole length of the expression, and said that he would see him in that extremity first.

«But why?» cried Scrooge's nephew. «Why?»

«Why did you get married?» said Scrooge.

«Because I fell in love.»

«Because you fell in love!» growled Scrooge, as if that were the only one thing in the world more ridiculous than a merry Christmas. «Good afternoon!»

«Nay, uncle, but you never came to see me before that happened. Why give it as a reason for not coming now?»

«Good afternoon» said Scrooge.

«I want nothing from you; I ask nothing of you; why cannot we be friends?»

«Good afternoon» said Scrooge.

«I am sorry, with all my heart, to find you so resolute. We have never had any quarrel, to which I have been a party. But I have made the trial in homage to Christmas, and I'll keep my Christmas humour to the last. So, a Merry Christmas, uncle!»

«Good afternoon!» said Scrooge.

«And A Happy New Year!»

«Good afternoon!» said Scrooge.

His nephew left the room without an angry word, notwithstanding. He stopped at the outer door to bestow the greetings of the season on the clerk, who cold as he was, was warmer than Scrooge; for he returned them cordially.

volto a suo nipote; «mi domando perché non ti fai eleggere al Parlamento.»

«Non andare in collera, zio. Andiamo, vieni a pranzo da noi domani!»

Scrooge disse che avrebbe preferito vederlo... – Sì, lo disse davvero; pronunciò la frase in tutta la sua lunghezza e disse che avrebbe preferito vederlo in *quella* situazione.

«Ma perché?» gridò il nipote di Scrooge. «Perché?»

«Perché hai preso moglie?» chiese Scrooge.

«Perché mi ero innamorato.»

«Perché ti eri innamorato!» brontolò Scrooge, come se questa fosse l'unica cosa al mondo più ridicola di un *Buon Natale*. «Buona sera.»

«Ma, zio, non sei mai venuto a trovarmi neanche prima che questo succedesse. Perché ne fai ora una ragione per non venire?»

«Buona sera» disse Scrooge.

«Io non voglio niente da te e non ti chiedo niente. Perché non possiamo essere buoni amici?»

«Buona sera» disse Scrooge.

«Mi rincresce con tutto il cuore di trovarti così ostinato. Fra noi non c'è mai stato nessun litigio. Ma ho voluto fare questo tentativo come omaggio al Natale e intendo conservare fino all'ultimo lo spirito del Natale. Dunque, Buon Natale, zio!»

«Buona sera» disse Scrooge.

«E buon anno!»

«Buona sera» disse Scrooge.

Ciò nonostante, il nipote uscì dalla stanza senza una parola di collera, soffermandosi sulla porta di strada per fare i suoi auguri all'impiegato, il quale, con tutto il freddo che aveva, era tuttavia più caldo di Scrooge, perché glieli ricambiò cordialmente.

«There's another fellow,» muttered Scrooge; who overheard him: «my clerk, with fifteen shillings a week, and a wife and family, talking about a merry Christmas. I'll retire to Bedlam.»

This lunatic, in letting Scrooge's nephew out, had let two other people in. They were portly gentlemen, pleasant to behold, and now stood, with their hats off, in Scrooge's office. They had books and papers in their hands, and bowed to him.

«Scrooge and Marley's, I believe» said one of the gentlemen, referring to his list. «Have I the pleasure of addressing Mr Scrooge, or M. Marley?»

«Mr Marley has been dead these seven years,» Scrooge replied. «He died seven years ago, this very night.»

«We have no doubt his liberality is well represented by his surviving partner» said the gentleman, presenting his credentials.

It certainly was; for they had been two kindred spirits. At the ominous word «liberality» Scrooge frowned, and shook his head, and handed the credentials back.

«At this festive season of the year, Mr Scrooge» said the gentleman, taking up a pen, «it is more than usually desirable that we should make some slight provision for the Poor and Destitute, who suffer greatly at the present time. Many thousands are in want of common necessaries; hundreds of thousands are in want of common comforts, sir.»

«Are there no prisons?» asked Scrooge.

«Plenty of prisons,» said the gentleman, laying down the pen again.

«And the Union workhouses?» demanded Scrooge. «Are they still in operation?»

«Eccone un altro» borbottò Scrooge, che aveva sentito la conversazione. «Il mio impiegato che guadagna quindici scellini la settimana, con moglie e figli, e parla di *Buon Natale*. Davvero c'è da finire in un manicomio!»

Quel pazzo, mentre accompagnava fuori il nipote di Scrooge aveva fatto entrare altre due persone. Erano due signori imponenti, ma di aspetto simpatico, e si erano fermati in piedi, senza cappello, nell'ufficio di Scrooge. Avevano in mano libri e carte e gli fecero un inchino.

«Questa è la ditta Scrooge e Marley, credo» disse uno dei due signori, dopo aver consultato un elenco. «Ho il piacere di parlare con il signor Scrooge o col signor Marley?»

«Marley è morto da sette anni» rispose Scrooge. «Morì sette anni fa, in questa stessa notte.»

«Non abbiamo nessun dubbio che la sua generosità sarà ben rappresentata dal suo socio superstite» disse il signore presentando le sue credenziali.

Era indubbiamente così, giacché i due soci erano stati anime sorelle. Quella parola minacciosa «generosità» fece aggrottare le ciglia a Scrooge, il quale scosse la testa e restituì le credenziali.

«In questo periodo di feste, signor Scrooge,» disse il signore, prendendo una penna «è ancor più desiderabile del solito che si provveda in qualche modo ai poveri e ai miserabili, che nel momento presente soffrono molto. Migliaia di persone sono prive delle cose più necessarie; centinaia di migliaia sono prive delle più piccole comodità.»

«E non ci sono le prigioni?» chiese Scrooge.

«In abbondanza» disse il signore, rimettendo giù la penna.

«E gli ospizi per i poveri?» chiese Scrooge. «Funzionano ancora?»

«They are. Still,» returned the gentleman «I wish I could say they were not.»

«The Treadmill and the Poor Law are in full vigour, then?» said Scrooge.

«Both very busy, sir.»

«Oh! I was afraid, from what you said at first, that something had occurred to stop them in their useful course» said Scrooge. «I'm very glad to hear it.»

«Under the impression that they scarcely furnish Christian cheer of mind or body to the multitude,» returned the gentleman «a few of us are endeavouring to raise a fund to buy the Poor some meat and drink and means of warmth. We choose this time, because it is a time, of all others, when Want is keenly felt, and Abundance rejoices. What shall I put you down for?»

«Nothing!» Scrooge replied.

«You wish to be anonymous?»

«I wish to be left alone» said Scrooge. «Since you ask me what I wish, gentlemen, that is my answer. I don't make merry myself at Christmas and I can't afford to make idle people merry. I help to support the establishments I have mentioned – they cost enough; and those who are badly off must go there.»

«Many can't go there; and many would rather die.»

«If they would rather die,» said Scrooge «they had better do it, and decrease the surplus population. Besides, excuse me, I don't know that.»

«But you might know it» observed the gentleman.

«Funzionano; però» replicò il signore «vorrei poter dire che non funzionano più.»

«La legge Treadmill e la legge sugli indigenti sono ancora in vigore, dunque?» chiese Scrooge.

«Sono attivissime, tutte e due.»

«Oh... quel che avete detto in principio mi aveva fatto temere che fosse accaduto qualche cosa che le avesse arrestate nella loro utile attività» disse Scrooge. «Sono molto felice di sentire che così non è.»

«Avendo l'impressione che quelle leggi non forniscano alla moltitudine un po' di gioia cristiana né per gli spiriti né per i corpi» replicò il signore «alcuni di noi stanno tentando di raccogliere fondi per comprare ai poveri qualche cosa da mangiare e da bere e l'occorrente per riscaldarsi. Abbiamo scelto questo periodo dell'anno perché, fra tutti, è un periodo nel quale il bisogno è più duramente sentito, mentre l'abbondanza si dà libero corso. Per quale cifra debbo iscrivervi?»

«Niente» rispose Scrooge.

«Desiderate serbare l'anonimo?»

«Desidero di essere lasciato in pace» disse Scrooge. «Dal momento che mi avete chiesto ciò che desidero, signori, questa è la mia risposta. Io non faccio festa per Natale e non posso permettermi di rendere allegri i fannulloni. Contribuisco al mantenimento delle istituzioni di cui abbiamo parlato – e costano abbastanza care – e coloro che si trovano in cattive condizioni economiche non hanno che da ricorrere a quelle.»

«Molti non ci possono andare, e molti preferirebbero la morte.»

«Se preferiscono la morte» disse Scrooge «farebbero meglio a morire, diminuendo così l'eccesso di popolazione. Per di più, scusatemi, ma io questo non lo so.»

«Ma potreste saperlo» osservò il signore.

«It's not my business» Scrooge returned. «It's enough for a man to understand his own business, and not to interfere with other people's. Mine occupies me constantly. Good afternoon, gentlemen!»

Seeing clearly that it would be useless to pursue their point, the gentlemen withdrew. Scrooge returned his labours with an improved opinion of himself, and in a more facetious temper than was usual with him.

Meanwhile the fog and darkness thickened so, that people ran about with flaring links, proffering their services to go before horses in carriages, and conduct them on their way. The ancient tower of a church, whose gruff old bell was always peeping slyly down at Scrooge out of a Gothic window in the wall, became invisible, and struck the hours and quarters in the clouds, with tremulous vibrations afterwards as if its teeth were chattering in its frozen head up there.

The cold became intense. In the main street at the corner of the court, some labourers were repairing the gas-pipes, and had lighted a great fire in a brazier, round which a party of ragged men and boys were gathered: warming their hands and winking their eyes before the blaze in rapture. The water-plug being left in solitude, its overflowing sullenly congealed, and turned to misanthropic ice. The brightness of the shops where holly sprigs and berries crackled in the lamp heat of the windows, made pale faces ruddy as they passed. Poulterers' and grocers' trades became a splendid joke; a glorious pageant, with which it was next to impossible to believe that such dull principles as bargain and sale had anything to do. The Lord Mayor, in the stronghold of

«Non è affar mio» replicò Scrooge. «Per un uomo basta che capisca quello che è affar suo, senza interferire negli affari altrui. I miei prendono tutto il mio tempo. Buona sera, signori.»

I due signori, rendendosi chiaramente conto dell'inutilità di insistere, si ritirarono; e Scrooge riprese il suo lavoro con un'opinione ancor più alta di se stesso e con un umore più faceto del solito.

Nel frattempo, la nebbia e l'oscurità si erano fatte tanto più fitte che alcuni andavano in giro con torce accese e offrivano i loro servigi per camminare davanti ai cavalli delle carrozze e guidare queste per la loro strada. L'antico campanile di una chiesa, la cui burbera vecchia campana guardava costantemente giù, verso Scrooge, fuori da una finestra gotica nel muro, era divenuto invisibile e batteva le ore e i quarti nelle nuvole, con una tremula vibrazione prolungata, come se lassù battesse i denti nella sua testa gelata. Il freddo divenne intenso. Nella strada principale, all'angolo della corte, alcuni operai stavano riparando le tubazioni del gas e avevano acceso un gran fuoco in un braciere, attorno al quale un gruppo di uomini e di ragazzi laceri si era raccolto a scaldarsi le mani, battendo estaticamente le palpebre davanti al chiarore. La fontanella, abbandonata a se stessa, vide il flusso della sua acqua congelarsi tristemente e mutarsi in ghiaccio. Le luci delle botteghe, nelle quali i ramoscelli e le bacche dell'agrifoglio scricchiolavano al chiarore delle lampade delle vetrine, facevano sembrar rosse le facce pallide che vi passavano dinanzi. Il commercio dei pollaioli e dei droghieri divenne un gioco meraviglioso; uno spettacolo magnifico, nel quale era quasi impossibile credere che idee tanto poco attraenti, come quelle di contrattare e di vendere, entrassero per qualche cosa. Il Lord Mayor, dentro la cittadella della poderosa

the mighty Mansion House, gave orders to his fifty cooks and butlers to keep Christmas as a Lord Mayor's household should; and even the little tailor, whom he had fined five shillings on the previous Monday for being drunk and bloodthirsty in the streets, stirred up tomorrow's pudding in his garret, while his lean wife and the baby sallied out to buy the beef.

Foggier yet, and colder! Piercing, searching, biting cold. If the good Saint Dunstan had but nipped the Evil Spirit's nose with a touch of such weather as that, instead of using his familiar weapons, then indeed he would have roared to lusty purpose. The owner of one scant young nose, gnawed and mumbled by the hungry cold as bones are gnawed by dogs, stooped down at Scrooge's keyhole to regale him with a Christmas carol: but at the first sound of «God bless you, merry gentleman! May nothing you dismay!» Scrooge seized the ruler with such energy of action, that the singer fled in terror, leaving the keyhole to the fog and even more congenial frost.

At length the hour of shutting up the counting-house arrived. With an ill-will Scrooge dismounted from his stool, and tacitly admitted the fact to the expectant clerk in the Tank, who instantly snuffed his candle out, and put on his hat.

«You'll want all day tomorrow, I suppose?» said Scrooge.

«If quite convenient, sir.»

«It's not convenient,» said Scrooge «and it's not fair. If I was to stop half-a-crown for it, you'd think yourself ill-used, I'll be bound?»

The clerk smiled faintly.

Mansion House, diede ordine ai suoi cinquanta cuochi e servitori di preparare i festeggiamenti di Natale come si conviene alla casa di un Lord Mayor; e perfino il piccolo sarto, al quale egli aveva inflitto, il lunedì precedente, una multa di cinque scellini, per essere stato trovato ubriaco per la strada, rimestava nel suo stambugio il *pudding* per il giorno dopo, mentre la moglie sparuta usciva con il bambino per andare a comprare la carne.

Sempre più nebbia e sempre più freddo! Un freddo acuto, pungente, penetrante! Se il buon san Dunstano, invece di usar le sue armi familiari, avesse appena pizzicato il naso dello spirito maligno con un tempo come quello, questi avrebbe avuto davvero un motivo giustificato per ruggire. Il proprietario di un piccolo nasetto giovane, roso e martoriato da quel freddo famelico come un osso rosicchiato da un cane, si piegò verso il buco della chiave di Scrooge per allietarlo con una ballata di Natale. Ma non appena intese i primi versi, Scrooge impugnò la riga con atto così energico che il cantore fuggì terrorizzato, abbandonando il buco della chiave alla nebbia e anche al gelo che sembrava ci stesse di casa.

Finalmente venne l'ora di chiudere l'ufficio. Scrooge scese di malavoglia dal suo alto panchetto, e dovette ammettere tacitamente il fatto coll'impiegato, che aspettava nella sua cisterna e che immediatamente spense la candela e si mise il cappello in testa.

«Penso che domani vorrete avere tutta la giornata libera» disse Scrooge.

«Se la cosa va bene per voi, signore.»

«Non va bene» disse Scrooge «e non è giusto. Scommetto che se per questo io volessi trattenervi mezza corona, voi vi considerereste mal trattato.»

L'impiegato ebbe un pallido sorriso.

«Eppure» disse Scrooge «a voi non sembra un'in-

«And yet,» said Scrooge «you don't think me ill-
used, when I pay a day's wages for no work.»

The clerk observed that it was only once a year.

«A poor excuse for picking a man's pocket every
twenty-fifth of December!» said Scrooge, buttoning
his great-coat to the chin. «But I suppose you must have the whole day. Be here all the earlier next morning.»

The clerk promised that he would; and Scrooge
walked out with a growl. The office was closed in a
twinkling, and the clerk, with the long ends of his
white comforter dangling below his waist (for he boa-
sted no great-coat), went down a slide on Cornhill, at
the end of a lane of boys, twenty times, in honour of
its being Christmas Eve, and then ran home to Camden Town as hard as he could pelt, to play at blind-
man's buff.

Scrooge took his melancholy dinner in his usual
melancholy tavern; and having read all the newspa-
pers, and beguiled the rest of the evening with his
banker's book, went home to bed. He lived in chambers which had once belonged to his deceased partner. They were a gloomy suite of rooms, in a lowering
pile of building up a yard, where it had so little business to be, that one could scarcely help fancying it
must have run there when it was a young house,
playing at hide-and-seek with other houses, and forgotten the way out again. It was old enough now, and
dreary enough, for nobody lived in it but Scrooge, the
other rooms being all let out as offices.

The yard was so dark that even Scrooge, who
knew its every stone, was fain to grope with his
hands. The fog and frost so hung about the black
old gateway of the house, that it seemed as if the

giustizia a mio danno il fatto che io vi paghi una giornata di stipendio senza lavorare.»

L'impiegato osservò che questo accadeva una volta sola all'anno.

«Questa è una scusa ben meschina per tirar fuori i denari dalle tasche di un galantuomo ogni 25 dicembre!» disse Scrooge, abbottonandosi il pastrano fino al mento. «Ma penso che dobbiate avere tutta la giornata libera. Venite un po' più presto la mattina dopo!»

L'impiegato promise che lo avrebbe fatto e Scrooge uscì fuori con un grugnito. L'ufficio fu chiuso in un batter d'occhio e l'impiegato, con le lunghe estremità della sciarpa che gli pendevano fin sotto la cintola, giacché non possedeva un pastrano, scivolò verso Cornhill in mezzo a tutto uno schieramento di ragazzi che festeggiavano la vigilia di Natale, e poi corse con tutta la velocità possibile a Camden Town, a casa sua, per giocare a mosca cieca coi suoi bambini.

Scrooge consumò il suo pranzo malinconico nella sua solita malinconica trattoria; e, dopo aver letto tutti i giornali e allietato il resto della serata con un esame del suo conto in banca, se ne andò a casa per coricarsi. L'appartamento nel quale abitava era stato in passato del suo defunto socio. Era una lugubre serie di stanze in un fabbricato alto, che sorgeva in un vicolo dove aveva tanto poco ragione di trovarsi da far quasi immaginare che vi fosse corso dentro quando era una casa giovane, giocando a nascondino con altre case, e avesse dimenticato la strada per uscirne. Ora era abbastanza vecchio e abbastanza sinistro, giacché il suo unico abitante era Scrooge e tutte le altre stanze erano affittate come uffici.

Il vicolo era così buio, che perfino Scrooge, che ne conosceva ogni pietra, era costretto a procedere a tastoni. Nel nero e vecchio androne della casa, la nebbia e il gelo incombevano in modo tale che sembrava

Genius of the Weather sat in mournful meditation
on the threshold.

Now, it is a fact, that there was nothing at all particular about the knocker on the door, except that it was
very large. It is also a fact, that Scrooge had seen it, night and morning, during his whole residence in that
place; also that Scrooge had as little of what is called
fancy about him as any man in the city of London,
even including – which is a bold word – the corpora-
tion, aldermen, and livery. Let it also be borne in mind
that Scrooge had not bestowed one thought on Marley, since his last mention of his seven years' dead partner that afternoon. And then let any man explain to
me, if he can, how it happened that Scrooge, having
his key in the lock of the door, saw in the knocker,
without its undergoing any intermediate process of
change – not a knocker, but Marley's face.

Marley's face. It was not in impenetrable shadow
as the other objects in the yard were, but had a dismal light about it, like a bad lobster in a dark cellar.
It was not angry or ferocious, but looked at Scrooge
as Marley used to look: with ghostly spectacles turned up on its ghostly forehead.

The hair was curiously stirred, as if by breath or
hot air; and, though the eyes were wide open, they
were perfectly motionless. That, and its livid colour,
made it horrible; but its horror seemed to be in spite
of the face and beyond its control, rather than a part
or its own expression.

As Scrooge looked fixedly at this phenomenon, it
was a knocker again.

To say that he was not startled, or that his blood

che il Genio del Tempo fosse seduto sulla soglia, immerso in una lugubre meditazione.

Ora è un fatto che nel batacchio della porta non c'era niente di straordinario, tranne la sua straordinaria grossezza; è pure un fatto che Scrooge lo aveva veduto mattina e sera, durante tutto il periodo nel quale aveva abitato la casa, e così pure che Scrooge possedeva ciò che si chiama fantasia in così scarsa misura, quanto è possibile che si verifichi per qualunque uomo della City di Londra, compresi perfino il Consiglio, gli assessori e gli impiegati, il che è tutto dire. Non bisogna neppure dimenticare che Scrooge non aveva mai rivolto un pensiero a Marley, dopo aver menzionato in quello stesso pomeriggio il suo socio morto da sette anni. E allora, mi spieghi chi può, come accadde che Scrooge, dopo aver introdotto la chiave nella toppa, scorse nel batacchio, senza che questo nel frattempo avesse subito alcun processo di alterazione, non più un batacchio, ma il volto di Marley.

Il volto di Marley. Non era avvolto da un'ombra impenetrabile, come tutti gli altri oggetti nel vicolo, ma era circonfuso da una luce sinistra, come un'aragosta andata a male in una cantina buia. Non era né irritato né feroce, ma guardava Scrooge come Marley era solito guardarlo, con un paio di occhiali spettrali tirati su sulla fronte. I capelli erano curiosamente arruffati, come da un soffio o da una corrente d'aria calda; e gli occhi, per quanto fossero spalancati, erano perfettamente immobili. Questo e il colorito livido lo rendevano orribile; ma l'orrore sembrava esistere a dispetto del volto e senza che questo potesse controllarlo, piuttosto che esser parte della sua espressione.

Allorché Scrooge fissò intensamente il fenomeno, il batacchio tornò a essere un batacchio.

Dire che non fu scosso e che il suo sangue non eb-

was not conscious of a terrible sensation to which it had been a stranger from infancy, would be untrue. But he put his hand upon the key he had relinquished, turned it sturdily, walked in, and lighted his candle.

He did pause, with a moment's irresolution, before he shut the door; and he did look cautiously behind it first, as if he half-expected to be terrified with the sight of Marley's pigtail sticking out into the hall. But there was nothing on the back of the door, except the screws and nuts that held the knocker on, so he said «Pooh, pooh!» and closed it with a bang.

The sound resounded through the house like thunder. Every room above, and every cask in the wine-merchant's cellars below, appeared to have a separate peal of echoes of its own.

Scrooge was not a man to be frightened by echoes. He fastened the door, and walked across the hall, and up the stairs; slowly too: trimming his candle as he went.

You may talk vaguely about driving a coach-and-six up a good old flight of stairs, or through a bad young Act of Parliament; but I mean to say you might have got a hearse up that staircase, and taken it broadwise, with the splinter-bar towards the wall and the door towards the balustrades: and done it easy. There was plenty of width for that, and room to spare; which is perhaps the reason why Scrooge thought he saw a locomotive hearse going on before him in the gloom. Half a dozen gas-lamps out of the street wouldn't have lighted the entry too well, so you may suppose that it was pretty dark with Scrooge's dip.

Up Scrooge went, not caring a button for that. Darkness is cheap, and Scrooge liked it. But before

be coscienza di una sensazione terribile, che gli era ormai estranea fin dal tempo della sua infanzia, sarebbe dire una bugia; nondimeno, pose la mano sulla chiave che aveva lasciato, la girò decisamente, entrò e accese la candela.

Prima di chiudere la porta, si fermò con un momento di indecisione, e si diede prima un'occhiata cauta alle spalle, come se si fosse quasi aspettato di essere terrorizzato dalla vista del codino di Marley, sporgente entro l'ingresso. Ma nella parte posteriore della porta non c'era niente, tranne le viti coi relativi dadi che fissavano il batacchio. Pertanto, disse a se stesso: «Bah... bah!»; e la richiuse con un tonfo.

Questo echeggiò come un tuono per tutta la casa. Sembrò che l'eco di ogni stanza ai piani superiori e di ogni botte nelle cantine dei negozianti di vino al piano di sotto possedesse una sua propria e separata risonanza; ma Scrooge non era uomo che l'eco potesse spaventare. Mise il paletto alla porta, attraversò l'ingresso, e salì le scale lentamente, smoccolando la candela.

Non è certo possibile guidare un attacco a sei cavalli su per una vecchia rampa di scale, oppure attraverso una nuova e cattiva legge approvata dal Parlamento; ma vi assicuro che su per quella scala si poteva benissimo portare un catafalco nel senso della larghezza, con la testata verso il muro e il fondo verso la ringhiera, e con estrema facilità. Lo spazio e la larghezza erano più che abbondanti per questo; ed è questa forse la ragione per la quale, nella semioscurità, parve a Scrooge che un catafalco semovente lo precedesse. Mezza dozzina di lampade a gas nella strada non sarebbero bastate a rischiarare bene quell'ingresso; sicché potete pure supporre che, con la candela di Scrooge, era piuttosto buio.

Scrooge continuò a salire senza badarvi; il buio costa poco, e perciò piaceva a Scrooge. Tuttavia, pri-

he shut his heavy door, he walked through his rooms
to see that all was right. He had just enough recollection of the face to desire to do that.

Sitting-room, bedroom, lumber-room. All as they
should be. Nobody under the table, nobody under
the sofa; a small fire in the grate; spoon and basin
ready; and the little saucepan of gruel (Scrooge had
a cold in his head) upon the hob. Nobody under the
bed; nobody in the closet; nobody in his dressing-
gown, which was hanging up in a suspicious attitude
against the wall.

Lumber-room as usual. Old fire-guards, old shoes,
two fish-baskets, washing-stand on three legs, and a
poker.

Quite satisfied, he closed his door, and locked
himself in; double-locked himself in, which was not
his custom. Thus secured against surprise, he took
off his cravat; put on his dressing-gown and slippers,
and his night-cap; and sat down before the fire to
take his gruel.

It was a very low fire indeed; nothing on such a
bitter night. He was obliged to sit close to it, and
brood over it, before he could extract the least sensation of warmth from such a handful of fuel.

The fireplace was an old one, built by some Dutch
merchant long ago, and paved all round with quaint
Dutch tiles, designed to illustrate the Scriptures.
There were Cains and Abels, Pharaohs' daughters;
Queen of Sheba, Angelic messengers descending th-
rough the air on clouds like feather-beds, Abrahams,
Belshazzars, Apostles putting off to sea in butter-
boats, hundreds of figures to attract his thoughts –

ma di chiudere la sua porta pesante, fece un giro per tutte le stanze per vedere se tutto era in ordine. Quella faccia gli era rimasta abbastanza impressa da ispirargliene il desiderio.

Salotto, stanza da letto, stanza di sgombro – tutto in perfetto ordine. Nessuno sotto la tavola; nessuno sotto il sofà; un piccolo fuoco nel caminetto; cucchiaio e scodella pronti; e il piattino con la minestra d'avena (giacché Scrooge aveva il raffreddore) era posato sulla placca metallica del caminetto. Nessuno sotto il letto; nessuno nell'armadio; nessuno nella sua veste da camera, che pendeva in atteggiamento sospetto contro il muro. La stanza di sgombro era come al solito: un vecchio parafuoco, un vecchio paio di scarpe, due cestini da pesca, un lavandino a tre gambe e un paio di molle.

Perfettamente persuaso, chiuse la porta e si serrò dentro, dando doppia mandata, cosa che non era nelle sue abitudini. Dopo essersi assicurato in tal modo contro ogni sorpresa, si tolse la cravatta, si mise la veste da camera, le pantofole e il berretto da notte e si sedette a mangiare la sua minestra davanti al fuoco.

Era veramente un fuoco molto misero, che in una notte così fredda era poco più che niente. Scrooge fu costretto a sedervisi vicino e a piegarvisi sopra, prima di poter estrarre da quel pugno di brace la più piccola sensazione di calore. Il caminetto era antico, costruito molto tempo prima da qualche mercante olandese, tutto ornato di mattonelle olandesi, con immagini tolte dalla Sacra Scrittura. C'erano Caino e Abele, le figlie del Faraone, la regina di Saba, messaggeri angelici che scendevano per l'aria su nuvole simili a piumini da letto, Abramo, Baldassarre, apostoli che si imbarcavano su barchette che parevano di burro, centinaia di figure che tutte avrebbero potuto attrarre i suoi

and yet that face of Marley, seven years dead, came like the ancient Prophet's rod, and swallowed up the whole. If each smooth tile had been a blank at first, with power to shape some picture on its surface from the disjointed fragments of his thoughts, there would have been a copy of old Marley's head on every one.

«Humbug!» said Scrooge; and walked across the room.

After several turns, he sat down again. As he threw his head back in the chair, his glance happened to rest upon a bell, a disused bell, that hung in the room, and communicated for some purpose now forgotten with a chamber in the highest story of the building. It was with great astonishment, and with a strange, inexplicable dread, that as he looked, he saw this bell begin to swing. It swung so softly in the outset that it scarcely made a sound; but soon it rang out loudly, and so did every bell in the house.

This might have lasted half a minute, or a minute, but it seemed an hour. The bells ceased as they had begun, together. They were succeeded by a clanking noise, deep down below; as if some person were dragging a heavy chain over the casks in the wine merchant's cellar.

Scrooge then remembered to have heard that ghosts in haunted houses were described as dragging chains.

The cellar-door flew open with a booming sound, and then he heard the noise much louder, on the floors below; then coming up the stairs; then coming straight towards his door.

pensieri; e pure, quel volto di Marley, morto da sette
anni, riappariva, come la verga dell'antico profeta, e
annullava tutto il resto. Se ciascuna di quelle mattonelle lisce fosse stata bianca e fosse stato possibile di-
segnare sulla sua superficie qualche figura utilizzan-
do a questo scopo i frammenti sconvolti dei suoi
pensieri, su ciascuna di esse ci sarebbe stata una copia
della testa del vecchio Marley.

«Sciocchezze!» disse Scrooge, e si mise a passeggiare per la stanza.

Dopo averla percorsa varie volte, tornò a sedersi;
e, mentre appoggiava di nuovo la testa sulla poltro-
na, gli occhi gli caddero casualmente su un campanello, un campanello fuori uso, che pendeva nella
stanza e rispondeva, per qualche ragione ormai dimenticata, in una stanza nel piano più alto del fabbricato. Fu con grande meraviglia e con uno strano e
inesplicabile terrore che, nel guardare, si accorse che
il campanello cominciava a dondolare. Dondolava
così dolcemente, da principio, che non produceva alcun suono; ma ben presto cominciò a suonare forte e
così fecero tutti gli altri campanelli della casa.

Questo durò forse mezzo minuto o un minuto, ma
parve che durasse un'ora. I campanelli cessarono
tutti insieme, come avevano incominciato, e a essi
tenne dietro un rumore metallico, che veniva dalla
profondità dei piani inferiori, come se qualcuno
stesse trascinando una catena pesante sulle botti nella cantina del negoziante di vino. Allora Scrooge si
ricordò di aver sentito dire che gli spettri nelle case
stregate si trascinano dietro le catene.

La porta della cantina si spalancò con un colpo
fortissimo e, allora, egli udì il rumore ai piani inferiori farsi molto più forte, poi salire su per le scale,
poi venire direttamente verso la porta.

«It's humbug still!» said Scrooge. «I won't believe it.»

His colour changed though, when, without a pause, it came on through the heavy door, and passed into the room before his eyes. Upon its coming in, the dying flame leaped up, as though it cried «I know him; Marley's Ghost!» and fell again.

The same face: the very same. Marley in his pigtail, usual waistcoat, tights and boots; the tassels on the latter bristling, like his pigtail, and his coat-skirts, and the hair upon his head. The chain he drew was clasped about his middle. It was long, and wound about him like a tail; and it was made (for Scrooge observed it closely) of cash-boxes, keys, padlocks, ledgers, deeds, and heavy purses wrought in steel. His body was transparent; so that Scrooge, observing him, and looking through his waistcoat, could see the two buttons on his coat behind.

Scrooge had often heard it said that Marley had no bowels, but he had never believed it until now.

No, nor did he believe it even now. Though he looked the phantom through and through, and saw it standing before him; though he felt the chilling influence of its death-cold eyes; and marked the very texture of the folded kerchief bound about its head and chin, which wrapper he had not observed before; he was still incredulous, and fought against his senses.

«How now!» said Scrooge, caustic and cold as ever. «What do you want with me?»

«Much!» – Marley's voice, no doubt about it.

«Who are you?»

«Ask me who I was.»

«Sono tutte sciocchezze!» disse Scrooge. «Non ci voglio credere.»

Però cambiò colore allorché, senza pausa, qualche cosa passò attraverso la porta pesante ed entrò nella stanza davanti agli occhi suoi. Al suo arrivo, la fiamma morente balzò in alto, come se avesse voluto gridare: «Lo conosco, è lo spettro di Marley»; poi ricadde.

La stessa faccia – proprio la stessa faccia: Marley, con la sua parrucca a codino, il suo solito panciotto, calzoni e stivali, con le nappe di quest'ultimi che si agitavano come il codino della parrucca, le falde dell'abito e i capelli sulla sua testa. La catena che trascinava lo stringeva alla vita. Era lunga e gli si attorcigliava attorno come una coda; ed era fatta (giacché Scrooge la osservò attentamente) di cassette per denari, chiavi, paletti, libri mastri, atti legali e borse pesanti, il tutto rivestito d'acciaio. Il corpo era trasparente, cosicché Scrooge, osservandolo e guardandolo attraverso il panciotto, poteva vedere i due bottoni sulla parte posteriore della giacca.

Scrooge aveva sentito dire spesso che Marley era un uomo senza viscere, ma fino a quel momento non ci aveva mai creduto.

No, e neppure adesso ci credeva. Per quanto continuasse a guardare attraverso il fantasma e se lo vedesse davanti in piedi, per quanto sentisse l'influenza gelida dei suoi occhi freddi come la morte e osservasse perfino il tessuto del fazzoletto piegato e legato intorno alla testa e al mento di lui e che egli non aveva mai veduto prima, era ancora incredulo e lottava contro i suoi stessi sensi.

«Che cos'è questo?» disse Scrooge, caustico e freddo come sempre. «Che cosa vuoi da me?»

«Molto.» Era la voce di Marley, non c'era dubbio.

«Chi sei?»

«Chiedimi piuttosto chi ero.»

«Who were you then?» said Scrooge, raising his voice. «You're particular, for a shade.» He was going to say «to a shade» but substituted this, as more appropriate.

«In life I was your partner, Jacob Marley.»

«Can you... can you sit down?» asked Scrooge, looking doubtfully at him.

«I can.»

«Do it, then.»

Scrooge asked the question, because he didn't know whether a ghost so transparent might find himself in a condition to take a chair; and felt that in the event of its being impossible, it might involve the necessity of an embarrassing explanation. But the ghost sat down on the opposite side of the fireplace, as if he were quite used to it.

«You don't believe in me» observed the Ghost.

«I don't» said Scrooge.

«What evidence would you have of my reality beyond that of your senses?»

«I don't know» said Scrooge.

«Why do you doubt your senses?»

«Because,» said Scrooge, «a little thing affects them. A slight disorder of the stomach makes them cheats. You may be an undigested bit of beef, a blot of mustard, a crumb of cheese, a fragment of an underdone potato. There's more of gravy than of grave about you, whatever you are!»

Scrooge was not much in the habit of cracking jokes, nor did he feel, in his heart, by any means waggish then. The truth is, that he tried to be smart, as a means of distracting his own attention, and keeping

«Chi eri dunque?» disse Scrooge, alzando la voce. «Sei molto minuzioso per essere un'ombra.» Stava per dire «fino a un'ombra», ma vi sostituì l'altra frase, che gli parve più appropriata.

«Quando ero vivo, ero il tuo socio, Jacob Marley.»

«Puoi... puoi sederti?» chiese Scrooge, con un'occhiata dubbiosa.

«Sì, posso.»

«E allora siediti.»

Scrooge aveva fatto quella domanda perché non sapeva se uno spettro così trasparente fosse in condizioni di prendere una sedia e aveva la sensazione che, qualora questo fosse stato impossibile, avrebbe potuto rendere necessaria una spiegazione imbarazzante. Ma lo spettro si sedette dall'altro lato del caminetto, come se ci fosse perfettamente abituato.

«Tu non credi in me» disse lo Spettro.

«Io no» rispose Scrooge.

«Quali prove vorresti avere della mia realtà, oltre a quella che ti danno i tuoi sensi?»

«Non so» disse Scrooge.

«Perché dubiti dei tuoi sensi?»

«Perché» disse Scrooge «per influire su questi basta una piccolezza. Un leggero disordine dello stomaco li rende bugiardi. Tu potresti essere un pezzo di carne non digerito, un cucchiaino di mostarda, una briciola di formaggio, un frammento di una patata poco cotta. Chiunque tu sia, credo che tu venga piuttosto da una salsa che da una tomba.»

Scrooge non era solito fare giochi di parole* e, in quel momento, in fondo al cuore non si sentiva affatto la voglia di fare lo spiritoso. La verità è che cercava di farlo, come un mezzo per distrarre la propria atten-

---

* *Gravy* = salsa; *grave* = tomba. (*NdT*)

down his terror; for the spectre's voice disturbed the very marrow in his bones.

To sit, staring at those fixed glazed eyes, in silence for a moment, would play, Scrooge felt, the very deuce with him. There was something very awful, too, in the spectre's being provided with an infernal atmosphere of its own. Scrooge could not feel it himself, but this was clearly the case; for though the Ghost sat perfectly motionless, its hair, and skirts, and tassels, were still agitated as by the hot vapour from an oven.

«You see this toothpick?» said Scrooge, returning quickly to the charge, for the reason just assigned; and wishing, though it were only for a second, to divert the vision's stony gaze from himself.

«I do» replied the Ghost.

«You are not looking at it» said Scrooge.

«But I see it,» said the Ghost «notwithstanding.»

«Well!» returned Scrooge, «I have but to swallow this, and be for the rest of my days persecuted by a legion of goblins, all of my own creation. Humbug, I tell you! humbug!»

At this the spirit raised a frightful cry, and shook its chain with such a dismal and appalling noise, that Scrooge held on tight to his chair, to save himself from falling in a swoon. But how much greater was his horror, when the phantom taking off the bandage round its head, as if it were too warm to wear indoors, its lower jaw dropped down upon its breast!

Scrooge fell upon his knees, and clasped his hands before his face.

«Mercy!» he said. «Dreadful apparition, why do you trouble me?»

zione e frenare il proprio terrore, giacché la voce dello Spettro gli penetrava fino al midollo delle ossa.

Continuare a star seduto, fissando quegli occhi immobili e vitrei, e rimanendo anche per un solo momento in silenzio, sarebbe stato, Scrooge lo sentiva, un gioco assai pericoloso. Inoltre, c'era qualcosa di molto spaventoso nel fatto che lo Spettro era provvisto di una sua propria atmosfera infernale. Scrooge non poteva sentirla, ma era certamente così; giacché, sebbene il fantasma sedesse perfettamente immobile, i capelli, le vesti e le nappe erano ancora agitati come avrebbe potuto agitarli un vapore caldo proveniente da una stufa.

«Vedi questo stuzzicadenti?» disse Scrooge, tornando rapidamente alla carica per il motivo già detto, desideroso di distogliere dalla sua persona, fosse pure per un secondo, lo sguardo impietrato della visione.

«Lo vedo» rispose lo Spettro.

«Ma se non lo guardi neppure!» disse Scrooge.

«Eppure» disse lo Spettro «lo vedo.»

«Bene!» replicò Scrooge. «Basta che io lo inghiotta per essere perseguitato per tutto il resto dei miei giorni da una legione di fantasmi, tutti creati da me stesso. Stupidaggini, ti dico, stupidaggini!»

A queste parole, lo spirito emise un grido terribile e scosse la catena con rumore talmente lugubre e spaventoso che Scrooge si afferrò con tutte le forze alla sedia per evitare di cadere svenuto. Ma ben più grande fu il suo orrore quando il fantasma si tolse la benda che portava intorno alla testa, come se facesse troppo caldo per portarla dentro casa, e la mascella inferiore gli cadde sul petto.

Scrooge cadde in ginocchio, coprendosi il volto con le mani.

«Misericordia!» disse. «Spaventosa apparizione, perché vieni a disturbarmi?»

«Man of the worldly mind!» replied the Ghost, «do you believe in me or not?»

«I do,» said Scrooge. «I must. But why do spirits walk the earth, and why do they come to me?»

«It is required of every man,» the Ghost returned, «that the spirit within him should walk abroad among his fellowmen, and travel far and wide; and if that spirit goes not forth in life, it is condemned to do so after death. It is doomed to wander through the world – oh, woe is me! – and witness what it cannot share, but might have shared on earth, and turned to happiness!»

Again the spectre raised a cry, and shook its chain and wrung its shadowy hands.

«You are fettered,» said Scrooge, trembling. «Tell me why?»

«I wear the chain I forged in life,» replied the Ghost. «I made it link by link, and yard by yard; I girded it on of my own free will, and of my own free will I wore it. Is its pattern strange to you?»

Scrooge trembled more and more.

«Or would you know,» pursued the Ghost, «the weight and length of the strong coil you bear yourself? It was full as heavy and as long as this, seven Christmas Eves ago. You have laboured on it, since. It is a ponderous chain!»

Scrooge glanced about him on the floor, in the expectation of finding himself surrounded by some fifty or sixty fathoms of iron cable: but he could see nothing.

«Jacob,» he said, imploringly. «Old Jacob Marley, tell me more. Speak comfort to me, Jacob!»

«I have none to give,» the Ghost replied. «It comes from other regions, Ebenezer Scrooge, and is conveyed by other ministers, to other kinds of men. Nor

«Uomo dalla mentalità terrena,» replicò lo Spettro «credi in me, sì o no?»

«Sì,» disse Scrooge «debbo crederci! Ma perché gli spiriti passeggiano sulla terra e perché vengono da me?»

«È richiesto a ogni uomo» replicò lo Spettro «che lo spirito che è dentro di lui si aggiri tra i suoi simili e viaggi lontano lontano; e, se quello spirito non fa questo in vita, è condannato a farlo dopo morto. È condannato a errare per il mondo – misero me! – e ad assistere alle cose alle quali non può partecipare, ma a cui avrebbe potuto partecipare sulla terra, e trarne felicità!»

Lo Spettro emise un altro grido, e scosse la catena, e si torse le mani spettrali.

«Sei incatenato» disse Scrooge, tremando. «Dimmi il perché.»

«Porto la catena che ho forgiato in vita» replicò lo Spettro. «Sono io che l'ho fatta, un anello dopo l'altro, un braccio dopo l'altro; sono io che me la sono cinta di mia spontanea volontà e di mia spontanea volontà l'ho portata. Il suo tipo ti è sconosciuto?»

Scrooge tremava sempre di più.

«O non conosci forse» proseguì lo Spettro «il peso e la lunghezza della catena che tu stesso porti? Era non meno grave e non meno lunga di questa, la vigilia di Natale, sette anni fa. Da quel giorno in poi, ci hai lavorato sodo! È una catena opprimente!»

Scrooge diede un'occhiata in giro sul pavimento, aspettandosi di vedere se stesso circondato da cinquanta o sessanta piedi di cavo metallico, ma non riuscì a veder nulla.

«Jacob,» disse supplichevole «mio vecchio Jacob Marley, dimmi qualche altra cosa, dimmi una parola di conforto, Jacob!»

«Non ho conforto da dare» replicò lo Spettro. «Il conforto viene da altre parti, Ebenezer Scrooge, e sono altri ministri che lo recano ad altri tipi di uomini.

can I tell you what I would. A very little more, is all permitted to me. I cannot rest, I cannot stay, I cannot linger anywhere. My spirit never walked beyond our counting-house – mark me! – in life my spirit never roved beyond the narrow limits of our money-changing hole; and weary journeys lie before me!»

It was a habit with Scrooge, whenever he became thoughtful, to put his hands in his breeches pockets. Pondering on what the Ghost had said, he did so now, but without lifting up his eyes, or getting off his knees.

«You must have been very slow about it, Jacob,» Scrooge observed, in a business-like manner, though with humility and deference.

«Slow!» the Ghost repeated.

«Seven years dead,» mused Scrooge. «And travelling all the time?»

«The whole time,» said the Ghost. «No rest, no peace. Incessant torture of remorse.»

«You travel fast?» said Scrooge.

«On the wings of the wind» replied the Ghost.

«You might have got over a great quantity of ground in seven years» said Scrooge.

The Ghost, on hearing this, set up another cry, and clanked its chain so hideously in the dead silence of the night, that the Ward would have been justified in indicting it for a nuisance.

«Oh! captive, bound, and double-ironed,» cried the phantom, «not to know, that ages of incessant labour, by immortal creatures, for this earth must pass into eternity before the good of which it is susceptible is all developed. Not to know that any Christian spirit working kindly in its little sphere, whatever it

E nemmeno posso dirti tutto quello che vorrei. Non mi è concesso che pochissimo tempo ancora. Io non posso riposare, non posso fermarmi, non posso indugiarmi in alcun luogo. Il mio spirito non ha mai errato al di là del nostro ufficio – sta' attento! – in vita il mio spirito non è mai andato oltre i limiti angusti della nostra caverna da far denari; e viaggi faticosi mi attendono ancora!»

Quando era preoccupato, Scrooge aveva l'abitudine di mettersi le mani nelle tasche dei calzoni; ora, meditando su quello che aveva detto lo Spirito, fece lo stesso, però senza alzare gli occhi né levarsi in piedi.

«Devi aver camminato molto adagio, Jacob» osservò Scrooge, con un tono professionale, però non senza umiltà e deferenza.

«Adagio!» ripeté lo Spettro.

«Morto da sette anni» mormorò Scrooge «e hai viaggiato tutto questo tempo?»

«Tutto questo tempo,» disse lo Spettro «senza sosta, senza pace, in un'incessante tortura di rimorsi.»

«Viaggi in fretta?» disse Scrooge.

«Sulle ali del vento» replicò lo Spettro.

«Devi aver coperto una grande quantità di terreno in sette anni» disse Scrooge.

A queste parole, lo Spettro emise un altro grido e fece suonare la catena, nel profondo della notte, in un modo così spaventoso, che le guardie avrebbero avuto tutte le giustificazioni per accusarlo di schiamazzo notturno.

«Oh, devi esser prigioniero, legato, e a doppia catena» gridò il fantasma «per non sapere che debbono trascorrere secoli di lavoro incessante da parte delle creature immortali su questa terra prima che tutto il bene di cui questa è suscettibile possa svilupparsi pienamente; per non sapere che ciascuno spirito cristiano che lavori con animo buono nella sua piccola

may be, will find its mortal life too short for its vast
means of usefulness. Not to know that no space of
regret can make amends for one life's opportunity
misused! Yet such was I! Oh! such was I!»

«But you were always a good man of business, Jacob,» faltered Scrooge, who now began to apply this
to himself.

«Business!» cried the Ghost, wringing its hands
again. «Mankind was my business. The common
welfare was my business; charity, mercy, forbearan-
ce, and benevolence, were, all, my business. The dea-
lings of my trade were but a drop of water in the
comprehensive ocean of my business!»

It held up its chain at arm's length, as if that were
the cause of all its unavailing grief, and flung it heavily upon the ground again.

«At this time of the rolling year,» the Spectre said
«I suffer most. Why did I walk through crowds of fel-
low-beings with my eyes turned down, and never raise them to that blessed Star which led the Wise Men
to a poor abode! Were there no poor homes to which
its light would have conducted *me*!»

Scrooge was very much dismayed to hear the
Spectre going on at this rate, and began to quake
exceedingly.

«Hear me!» cried the Ghost. «My time is nearly
gone.»

«I will,» said Scrooge. «But don't be hard upon
me! Don't be flowery, Jacob! Pray!»

«How it is that I appear before you in a shape that

sfera, qualunque questa sia, troverà che la sua vita mortale è troppo breve per le vaste possibilità di rendersi utile che offre; per non sapere che non c'è rimpianto abbastanza grande per espiare per le occasioni che abbiamo lasciato perdere nella vita. Eppure io ero fatto così! Sì! Ero fatto così!»

Scrooge, che stava cominciando ad applicare quelle parole a se stesso, balbettò: «Però sei stato sempre un eccellente uomo di affari, Jacob».

«Affari!» gridò lo Spettro, torcendosi un'altra volta le mani. «Il mio affare avrebbe dovuto essere l'umanità. Il benessere comune era il mio affare. Carità, misericordia, tolleranza, benevolenza, tutto questo era il mio affare. Le contrattazioni del mio commercio non erano che una goccia d'acqua nell'immenso oceano di ciò che avrebbe dovuto costituire i miei affari.»

Sollevò la catena per tutta la lunghezza del braccio, come se quella fosse stata la causa del suo inconsolabile tormento, e la lasciò ricadere pesantemente a terra.

«In questo periodo dell'anno» disse lo Spettro «soffro più che in tutti gli altri. Perché mai ho camminato in mezzo alla folla dei miei simili con gli occhi rivolti in basso, senza mai alzarli verso quella stella benedetta che guidò i Re Magi verso un povero abituro? Non c'erano forse case di poveri, verso le quali la luce di quella stella avrebbe potuto guidarmi?»

Scrooge era profondamente turbato udendo lo Spettro parlare in questo modo e cominciò a tremare verga a verga.

«Ascoltami,» gridò lo Spettro «il tempo a mia disposizione è quasi finito.»

«Ti ascolterò» disse Scrooge; «ma non esser duro con me, Jacob, te ne supplico! Non questo linguaggio solenne!»

«Come avviene che io possa apparirti dinanzi, in una forma visibile ai tuoi occhi, non sono in grado di

you can see, I may not tell. I have sat invisible beside
you many and many a day.»

It was not an agreeable idea. Scrooge shivered,
and wiped the perspiration from his brow.

«That is no light part of my penance,» pursued the
Ghost. «I am here tonight to warn you, that you have
yet a chance and hope of escaping my fate. A chance
and hope of my procuring, Ebenezer.»

«You were always a good friend to me,» said
Scrooge. «Thank 'ee!»

«You will be haunted» resumed the Ghost, «by
Three Spirits.»

Scrooge's countenance fell almost as low as the
Ghost's had done.

«Is that the chance and hope you mentioned, Jacob?» he demanded, in a faltering voice.

«It is.»

«I... I think I'd rather not» said Scrooge.

«Without their visits» said the Ghost, «you cannot
hope to shun the path I tread. Expect the first tomorrow, when the bell tolls One.»

«Couldn't I take 'em all at once, and have it over,
Jacob?» hinted Scrooge.

«Expect the second on the next night at the same
hour. The third upon the next night when the last
stroke of Twelve has ceased to vibrate. Look to see
me no more; and look that, for your own sake, you
remember what has passed between us!»

When it had said these words, the Spectre took its
wrapper from the table, and bound it round its head, as
before. Scrooge knew this, by the smart sound its teeth
made, when the jaws were brought together by the bandage. He ventured to raise his eyes again, and found his
supernatural visitor confronting him in an erect attitude, with its chain wound over and about its arm.

The apparition walked backward from him; and at

dirlo; ma, per molti e molti giorni, ti sono stato seduto accanto invisibile.»

L'idea non era piacevole. Scrooge rabbrividì, e si asciugò la fronte, madida di sudore.

«Questa non è la parte più lieve della mia punizione. Io sono qui stasera per ammonirti che per te esiste ancora la possibilità e la speranza di sfuggire al mio destino: una possibilità e una speranza che io ti ho procurato, Ebenezer.»

«Sei sempre stato un buon amico per me» disse Scrooge. «Ti ringrazio!»

Lo Spettro riprese: «Sarai visitato da tre Spiriti».

Il viso di Scrooge si allungò quasi altrettanto quanto quello dello Spettro.

«È questa la possibilità e la speranza di cui parlavi, Jacob?» chiese con voce tremante.

«Proprio così!»

«Io... io preferirei di no!»

«Senza la loro visita» disse lo Spettro «non puoi sperare di evitare la strada che sto percorrendo io. Aspetta il primo domani, quando l'orologio suonerà l'una.»

«Non potrei averli tutti e tre insieme e farla finita subito, Jacob?» suggerì Scrooge.

«Aspetta il secondo la notte successiva alla stessa ora. Il terzo la notte seguente, quando cesserà di vibrare l'ultimo colpo delle dodici. Non contare di vedermi mai più; e cerca, nel tuo stesso interesse, di ricordarti quello che è accaduto stasera tra noi!»

Quando ebbe detto questo, lo Spettro prese dal tavolo il fazzoletto e se lo ravvolse attorno alla testa come prima. Scrooge se ne rese conto dal rumore che fecero i suoi denti quando la benda riportò insieme le mascelle: si fece coraggio, alzò gli occhi e vide che il suo soprannaturale visitatore gli stava ritto davanti, con la catena intorno al corpo e sul braccio.

L'apparizione si scostò da lui, camminando all'indie-

every step it took, the window raised itself a little, so
that when the Spectre reached it, it was wide open.
It beckoned Scrooge to approach, which he did.
When they were within two paces of each other,
Marley's Ghost held up its hand, warning him to co-
me no nearer. Scrooge stopped.

Not so much in obedience, as in surprise and fear:
for on the raising of the hand, he became sensible of
confused noises in the air; incoherent sounds of la-
mentation and regret; wailings inexpressibly sorrowful and self-accusatory. The spectre, after listening
for a moment, joined in the mournful dirge; and
floated out upon the bleak, dark night.

Scrooge followed to the window: desperate in his
curiosity. He looked out.

The air was filled with phantoms, wandering
hither and thither in restless haste, and moaning as
they went. Every one of them wore chains like Marley's Ghost; some few (they might be guilty govern-
ments) were linked together; none were free. Many
had been personally known to Scrooge in their lives.
He had been quite familiar with one old ghost, in a
white waistcoat, with a monstrous iron safe attached
to its ankle, who cried piteously at being unable to
assist a wretched woman with an infant, whom it
saw below, upon a door-step. The misery with them
all was, clearly, that they sought to interfere, for
good, in human matters, and had lost the power for
ever. Whether these creatures faded into mist, or mist enshrouded them, he could not tell. But they and
their spirit voices faded together; and the night became as it had been when he walked home.

tro; e a ogni passo che faceva la finestra si sollevava leggermente, cosicché, quando lo Spettro vi giunse, era completamente aperta. Fece segno a Scrooge di avvicinarsi e questi obbedì. Quando si trovarono a due passi l'uno dall'altro, lo spettro di Marley alzò la mano per ammonirlo a non avvicinarsi di più. Scrooge si fermò, non tanto per obbedienza, quanto per la sorpresa e la paura, giacché appena lo Spettro ebbe alzata la mano, cominciò a sentire nell'aria rumori confusi, suoni incoerenti di lamenti e di rimpianti, gemiti di una tristezza e di un rimorso inesprimibili. Lo Spettro, dopo esser rimasto un momento in ascolto, si unì a quel lacrimante corteo e ondeggiò fuori nella notte scura e sinistra.

Scrooge, con una curiosità disperata, lo seguì fino alla finestra e guardò fuori.

L'aria era piena di fantasmi che erravano in tutti i sensi con una fretta irrequieta, lamentandosi nel loro cammino. Ciascuno di loro portava una catena come quella dello spettro di Marley; pochi, i quali dovevano essere Governi colpevoli, erano incatenati insieme; nessuno era libero. Scrooge ne aveva conosciuti personalmente alcuni da vivi; era stato particolarmente intimo con un vecchio spettro che portava un panciotto bianco e alla cui caviglia era attaccata una mostruosa cassaforte di ferro, il quale piangeva in modo da far pietà, perché era incapace di soccorrere una disgraziata donna con un bambino lattante, che vedeva più in basso, sulla soglia di una porta. Il tormento di tutti loro consisteva evidentemente nel fatto che si sforzavano di intervenire nelle faccende umane per far del bene e che ne avevano perduto per sempre il potere.

Scrooge sarebbe stato incapace di dire se quelle creature svanirono nella nebbia, oppure se fu la nebbia a inghiottirle. Ma esse e le loro voci di spiriti si dileguarono insieme, e la notte tornò a essere quale era stata nel momento in cui era tornato a casa.

Scrooge closed the window, and examined the door by which the Ghost had entered. It was double-locked, as he had locked it with his own hands, and the bolts were undisturbed. He tried to say «Humbug!» but stopped at the first syllable. And being, from the emotion he had undergone, or the fatigues of the day, or his glimpse of the Invisible World, or the dull conversation of the Ghost, or the lateness of the hour, much in need of repose; went straight to bed, without undressing, and fell asleep upon the instant.

Chiuse la finestra ed esaminò la porta attraverso la quale lo Spettro era entrato. Era chiusa a doppia mandata come lui stesso l'aveva chiusa con le sue stesse mani, e il catenaccio non era stato toccato. Tentò di dire «stupidaggini», ma si fermò alla prima sillaba; e poiché, fosse l'emozione che aveva provato, o la fatica della giornata, o lo sguardo che aveva potuto gettare sul mondo invisibile, o la triste conversazione con lo Spettro, o l'ora tarda, sentiva un gran bisogno di riposare, andò direttamente a letto senza neanche spogliarsi e cadde immediatamente addormentato.

The First of the Three Spirits

When Scrooge awoke, it was so dark, that looking out of bed, he could scarcely distinguish the transparent window from the opaque walls of his chamber. He was endeavouring to pierce the darkness with his ferret eyes, when the chimes of a neighbouring church struck the four quarters. So he listened for the hour.

To his great astonishment the heavy bell went on from six to seven, and from seven to eight, and regularly up to twelve; then stopped. Twelve. It was past two when he went to bed. The clock was wrong. An icicle must have got into the works. Twelve.

He touched the spring of his repeater, to correct this most preposterous clock. Its rapid little pulse beat twelve: and stopped.

«Why, it isn't possible» said Scrooge, «that I can have slept through a whole day and far into another night. It isn't possible that anything has happened to the sun, and this is twelve at noon.»

The idea being an alarming one, he scrambled out of bed, and groped his way to the window.

He was obliged to rub the frost off with the sleeve of his dressing-gown before he could see anything;

Il primo dei tre Spiriti

Quando Scrooge si destò, era così buio che, guardando dal letto, poteva a malapena distinguere la finestra trasparente dalle pareti opache della camera. Stava tentando di penetrare l'oscurità coi suoi occhi di furetto, quando l'orologio di una chiesa vicina suonò i quattro quarti. Rimase quindi in ascolto per sentir suonare l'ora.

Con sua grande meraviglia, la pesante campana passò da sei a sette, poi da sette a otto, e regolarmente fino a dodici, indi si fermò. Le dodici! Quando era andato a letto, erano le due passate. Le dodici! L'orologio andava male. Un ghiacciolo doveva essere penetrato nel meccanismo. Le dodici!

Toccò la molla del suo orologio a ripetizione, allo scopo di correggere quell'orologio insolente. Il rapido e tenue pulsare di questo batté dodici colpi e si fermò.

«Ma non è possibile» disse Scrooge «che io abbia dormito tutta una giornata e tanta parte della notte successiva. Non è possibile che qualche cosa sia accaduta al sole, e questi dodici colpi significhino mezzogiorno!»

Poiché questa idea era alquanto allarmante, sgusciò fuori dal letto e andò a tastoni alla finestra. Fu costretto a rimuovere dai vetri il gelo con una manica della veste da camera, prima di riuscire a veder

and could see very little then. All he could make out was, that it was still very foggy and extremely cold, and that there was no noise of people running to and fro, and making a great stir, as there unquestionably would have been if night had beaten off bright day, and taken possession of the world. This was a great relief, because «Three days after sight of this First of Exchange pay to Mr Ebenezer Scrooge on his order,» and so forth, would have become a mere United States security if there were no days to count by.

Scrooge went to bed again, and thought, and thought, and thought it over and over, and could make nothing of it. The more he thought, the more perplexed he was; and, the more he endeavoured not to think, the more he thought.

Marley's Ghost bothered him exceedingly. Every time he resolved within himself, after mature inquiry that it was all a dream, his mind flew back again, like a strong spring released, to its first position, and presented the same problem to be worked all through, «Was it a dream or not?». Scrooge lay in this state until the chime had gone three-quarters more, when he remembered, on a sudden, that the Ghost had warned him of a visitation when the bell tolled one. He resolved to lie awake until the hour was passed; and, considering that he could no more go to sleep than go to heaven, this was, perhaps, the wisest resolution in his power.

The quarter was so long, that he was more than once convinced he must have sunk into a doze unconsciously, and missed the clock. At length it broke upon his listening ear.

«Ding, dong!»

«A quarter past» said Scrooge, counting.

qualcosa, e anche allora poté vedere ben poco. Tutto quanto fu in grado di accertare fu che il tempo era ancora molto nebbioso ed estremamente freddo e che non si sentiva affatto il rumore che fa la gente correndo in un senso o nell'altro, non si sentiva affatto il gran frastuono che ci sarebbe indubbiamente stato se la notte avesse cacciato via la luce del giorno e si fosse impadronita del mondo. Questo gli fu di gran sollievo, giacché «a tre giorni dalla vista di questa cambiale pagata al signor Ebenezer Scrooge o a suo ordine», eccetera, diveniva un semplice pezzo di carta se non ci fossero più stati giorni da contare.

Scrooge tornò a letto e, pur pensando e ripensando, non riusciva a spiegarsi la cosa. Più rifletteva e più era perplesso; e più si sforzava di non riflettere, più rifletteva. Lo spettro di Marley lo tormentava straordinariamente. Ogni volta, dopo matura riflessione, decideva fra sé e sé che era stato tutto un sogno; ma la sua mente tornava sempre al punto di partenza, come una molla robusta quando vien lasciata scattare, e presentava al suo esame sempre lo stesso problema: è stato un sogno o no?

Scrooge rimase a giacere in questo stato, finché la campana non ebbe suonato altri tre quarti. Allora si ricordò a un tratto che lo Spettro gli aveva preannunciato una visita per il momento in cui l'orologio avesse suonato l'una. Decise di rimanere desto finché l'ora non fosse passata, e se si pensa che non gli era più facile dormire che andare in paradiso, questa era forse la risoluzione più saggia che potesse adottare.

L'ultimo quarto d'ora fu così lungo che egli si convinse una volta di più che aveva dovuto assopirsi inconsciamente e non aver sentito l'orologio. Questo, finalmente, percosse il suo orecchio intento.

«Din, don.»

«Le dodici e un quarto» disse Scrooge, contando.

«Ding, dong!»

«Half past» said Scrooge.

«Ding, dong!»

«A quarter to it» said Scrooge.

«Ding, dong!»

«The hour itself,» said Scrooge triumphantly, «and nothing else!»

He spoke before the hour bell sounded, which it now did with a deep, dull, hollow, melancholy ONE. Light flashed up in the room upon the instant, and the curtains of his bed were drawn.

The curtains of his bed were drawn aside, I tell you, by a hand. Not the curtains at his feet, nor the curtains at his back, but those to which his face was addressed. The curtains of his bed were drawn aside; and Scrooge, starting up into a half-recumbent attitude, found himself face to face with the unearthly visitor who drew them: as close to it as I am now to you, and I am standing in the spirit at your elbow.

It was a strange figure... like a child: yet not so like a child as like an old man, viewed through some supernatural medium, which gave him the appearance of having receded from the view, and being diminished to a child's proportions. Its hair, which hung about its neck and down its back, was white as if with age; and yet the face had not a wrinkle in it, and the tenderest bloom was on the skin. The arms were very long and muscular; the hands the same, as if its hold were of uncommon strength. Its legs and feet, most delicately formed, were, like those upper members, bare. It wore a tunic of the purest white, and round its waist was bound a lustrous belt, the

«Din, don.»

«Le dodici e mezzo» disse Scrooge.

«Din, don.»

«L'una meno un quarto» disse Scrooge.

«Din, don.»

«Ecco l'ora,» disse Scrooge trionfante «e non c'è niente altro!»

Aveva parlato prima che suonasse la campana dell'ora, ciò che avvenne ora, con un unico colpo profondo, cupo, cavernoso, malinconico. In quello stesso istante una luce inondò la stanza e le cortine del suo letto vennero scostate.

Le cortine vennero scostate, vi dico, da una mano; non quelle ai suoi piedi e neanche quelle dietro le sue spalle, ma quelle verso le quali era rivolta la sua faccia. Le cortine del suo letto furono scostate e Scrooge, sollevandosi sul fianco, si trovò faccia a faccia col visitatore ultraterreno che stava scostandole; non meno vicino a lui di quanto io in questo momento sono vicino a voi, e sto in piedi, in spirito, accanto a voi.

Era una figura strana, simile a un bambino; e pur tuttavia non tanto simile a un bambino quanto a un vecchio, visto attraverso un qualche mezzo soprannaturale, che gli dava l'apparenza di essersi allontanato e di essere così diminuito fino alle proporzioni di un bambino. I capelli, che gli scendevano giù per la nuca e per le spalle, erano bianchi come per vecchiaia; e pure il suo volto non aveva una ruga e sulla pelle era il colorito più tenue che si potesse immaginare. Aveva braccia molto lunghe e muscolose, e così pure le mani, come se la sua stretta dovesse essere di una forza non comune. Le gambe e i piedi, di forma delicatissima, erano nudi come i suoi arti superiori. Indossava una tunica del bianco più puro, e intorno alla vita era legata una cintura lucente, che luccicava

sheen of which was beautiful. It held a branch of fresh green holly in its hand; and, in singular contradiction of that wintry emblem, had its dress trimmed with summer flowers. But the strangest thing about it was, that from the crown of its head there sprung a bright clear jet of light, by which all this was visible; and which was doubtless the occasion of its using, in its duller moments, a great extinguisher for a cap, which it now held under its arm.

Even this, though, when Scrooge looked at it with increasing steadiness, was not its strangest quality. For as its belt sparkled and glittered now in one part and now in another, and what was light one instant, at another time was dark, so the figure itself fluctuated in its distinctness: being now a thing with one arm, now with one leg, now with twenty legs, now a pair of legs without a head, now a head without a body: of which dissolving parts, no outline would be visible in the dense gloom wherein they melted away. And in the very wonder of this, it would be itself again; distinct and clear as ever.

«Are you the Spirit, sir, whose coming was foretold to me?» asked Scrooge.

«I am.»

The voice was soft and gentle. Singularly low, as if instead of being so close beside him, it were at a distance.

«Who, and what are you?»Scrooge demanded.

«I am the Ghost of Christmas Past.»

«Long Past?» inquired Scrooge: observant of its dwarfish stature.

«No. Your past.»

Perhaps, Scrooge could not have told anybody

in modo stupendo. Teneva in mano un ramoscello di agrifoglio, fresco e verde, e il suo vestito, in strana contraddizione con quell'emblema dell'inverno, era tutto ricamato di fiori estivi. Ma la cosa più strana in lui, era che dalla sommità della testa gli usciva un chiaro e fulgido getto di luce che rendeva visibile tutto questo e che senza dubbio era il motivo per il quale, nei momenti di depressione, usava come berretto un grande spegnitoio che in quel momento teneva sotto il braccio.

Tuttavia, neanche questa era in lui la qualità più strana agli occhi di Scrooge, che lo fissava con crescente fermezza; giacché, come la sua cintura mandava bagliori ora in questa, ora in quella parte, e quella che era illuminata per un istante si oscurava subito dopo, così la figura stessa fluttuava pur rimanendo distintamente visibile, e ora era una cosa con un braccio solo, ora con una gamba sola, ora con venti gambe; ora era un paio di gambe senza testa e ora una testa senza corpo: e di queste parti, che si dissolvevano nella profonda oscurità che le ingoiava, non era visibile neppure la traccia; e si aveva appena il tempo di stupirsene, che tornava a essere la stessa di prima, distinta e chiara come sempre.

«Siete voi, signore, lo Spirito del quale m'era stata preannunciata la venuta?» chiese Scrooge.

«Sono io.»

La voce era dolce, gentile e singolarmente bassa, come se invece di essergli accanto vicinissimo, lo Spirito si fosse trovato lontano.

«Chi e che cosa siete?» chiese Scrooge.

«Sono lo Spettro del Natale Passato.»

«Passato da un pezzo?» chiese Scrooge, notando la piccolezza della sua statura.

«No. Il vostro passato.»

Forse Scrooge non avrebbe potuto dire a nessuno

why, if anybody could have asked him; but he had a special desire to see the Spirit in his cap; and begged him to be covered.

«What» exclaimed the Ghost, «would you so soon put out, with worldly hands, the light I give? Is it not enough that you are one of those whose passions made this cap, and force me through whole trains of years to wear it low upon my brow!»

Scrooge reverently disclaimed all intention to offend or any knowledge of having wilfully bonneted the Spirit at any period of his life. He then made bold to inquire what business brought him there.

«Your welfare» said the Ghost.

Scrooge expressed himself much obliged, but could not help thinking that a night of unbroken rest would have been more conducive to that end. The Spirit must have heard him thinking, for it said immediately:

«Your reclamation, then. Take heed!»

It put out its strong hand as it spoke, and clasped him gently by the arm.

«Rise. and walk with me!»

It would have been in vain for Scrooge to plead that the weather and the hour were not adapted to pedestrian purposes; that bed was warm, and the thermometer a long way below freezing; that he was clad but lightly in his slippers, dressing-gown, and night-cap; and that he had a cold upon him at that time. The grasp, though gentle as a woman's hand, was not to be resisted. He rose: but finding that the Spirit made towards the window, clasped his robe in supplication.

il motivo, se qualcuno avesse potuto chiederglielo; ma provava un desiderio speciale di vedere lo Spirito col berretto in testa, e perciò lo pregò di coprirsi.

«Come!» esclamò lo Spettro. «Vorreste dunque spegnere così presto, con le vostre mani mortali, la luce che emana da me? Non basta forse che siate uno di coloro, le cui passioni hanno fabbricato questo berretto, e mi hanno costretto per una lunga serie di anni a portarlo abbassato sugli occhi?»

Scrooge dichiarò rispettosamente che non aveva nessuna intenzione di offendere, come non aveva nessuna coscienza di aver mai volontariamente cacciato il berretto in testa allo Spirito, in un momento qualsiasi della sua vita; indi si fece tanto ardito da chiedere le ragioni che lo avevano condotto fin lì.

«Il vostro bene» disse lo Spettro.

Scrooge si profuse in ringraziamenti; ma non poteva trattenersi dal pensare che una notte di riposo ininterrotto sarebbe servita assai meglio a quello scopo. Lo Spettro dovette udire i suoi pensieri, giacché disse immediatamente:

«Diciamo: la vostra guarigione. State attento!»

Nel parlare stese la mano robusta e lo afferrò dolcemente per un braccio.

«Alzatevi, e venite con me!»

Era vano sostenere che né il tempo né l'ora notturna si prestavano a gite pedestri; che il letto era caldo, mentre il termometro segnava molti gradi sotto zero; che Scrooge era vestito molto leggermente, con le sole pantofole, la veste da camera e il berretto da notte e, per di più, in quel momento era raffreddato. Era impossibile resistere a quella presa, per quanto fosse dolce come quella di una mano femminile. Si alzò; ma accorgendosi che lo Spirito si dirigeva verso la finestra, si afferrò alle vesti di lui in atto supplichevole.

«I am mortal» Scrooge remonstrated, «and liable
to fall.»

«Bear but a touch of my hand *there*,» said the Spirit, laying it upon his heart, «and you shall be upheld
in more than this!»

As the words were spoken, they passed through
the wall, and stood upon an open country road, with
fields on either hand. The city had entirely vanished.
Not a vestige of it was to be seen. The darkness and
the mist had vanished with it, for it was a clear, cold,
winter day, withsnow upon the ground.

«Good Heaven!» said Scrooge, clasping his hands
together, as he looked about him. «I was bred in this
place. I was a boy here!»

The Spirit gazed upon him mildly. Its gentle touch, though it had been light and instantaneous, appeared still present to the old man's sense of feeling.
He was conscious of a thousand odours floating in
the air, each one connected with a thousand thoughts, and hopes, and joys, and cares long, long, forgotten.

«Your lip is trembling» said the Ghost. «And what
is that upon your cheek?»

Scrooge muttered, with an unusual catching in his
voice, that it was a pimple; and begged the Ghost to
lead him where he would.

«You recollect the way?» inquired the Spirit.

«Remember it» cried Scrooge with fervour; «I
could walk it blindfold.»

«Strange to have forgotten it for so many years!»
observed the Ghost. «Let us go on.»

They walked along the road, Scrooge recognising
every gate, and post, and tree; until a little market-
town appeared in the distance, with its bridge, its
church, and winding river. Some shaggy ponies now

«Sono un mortale» implorò Scrooge «e soggetto a cadere.»

«Basterà appena il tocco della mia mano *qui*» disse lo Spirito, posandogliela sul cuore «per sostenervi a un'altezza ben maggiore di questa!»

Mentre queste parole venivano pronunciate, passarono attraverso il muro e si trovarono in aperta campagna, in una strada fiancheggiata da campi da ambo i lati. La città era interamente svanita e non se ne vedeva più traccia. Con essa erano svanite anche l'oscurità e la nebbia; era una chiara e fredda giornata invernale, e il terreno era tutto coperto di neve.

«Gran Dio!» disse Scrooge, giungendo le mani mentre guardava in giro. «Sono cresciuto in questo posto. Ci sono vissuto da ragazzo.»

Lo Spirito lo guardò con dolcezza. Il suo tocco leggero, per quanto fosse stato istantaneo e appena sensibile, era ancora presente al senso del tatto del vecchio. Questi ebbe coscienza di mille odori che fluttuavano nell'aria, ciascuno dei quali era connesso con mille pensieri e speranze e gioie e preoccupazioni, obliati da molti, molti anni.

«Vi tremano le labbra» disse lo Spettro; «e che cos'è mai quella cosa che avete sulla guancia?»

Con un tremito inconsueto nella voce, Scrooge mormorò che era un foruncolo e pregò lo Spettro di condurlo dove più gli piacesse.

«Ricordate la strada?» chiese lo Spirito.

«Se la ricordo!» gridò Scrooge, con calore. «Potrei percorrerla con gli occhi bendati.»

«È strano che l'abbiate dimenticata per tanti anni» osservò lo Spettro. «Andiamo avanti!»

Camminarono lungo la strada, e Scrooge riconosceva ogni cancello, ogni colonnina, ogni albero. A un certo punto, apparve in distanza un piccolo paese, col suo ponte, la sua chiesa e il suo fiume tortuo-

were seen trotting towards them with boys upon their backs, who called to other boys in country gigs and carts, driven by farmers. All these boys were in great spirits, and shouted to each other, until the broad fields were so full of merry music, that the crisp air laughed to hear it.

«These are but shadows of the things that have been,» said the Ghost. «They have no consciousness of us.»

The jocund travellers came on; and as they came, Scrooge knew and named them every one.

Why was he rejoiced beyond all bounds to see them! Why did his cold eye glisten, and his heart leap up as they went past! Why was he filled with gladness when he heard them give each other Merry Christmas, as they parted at cross-roads and bye-ways, for their several homes! What was merry Christmas to Scrooge? Out upon merry Christmas! What good had it ever done to him?

«The school is not quite deserted,» said the Ghost. «A solitary child, neglected by his friends, is left there still.»

Scrooge said he knew it. And he sobbed.

They left the high-road, by a well-remembered la-ne, and soon approached a mansion of dull red brick, with a little weathercock-surmounted cupola, on the roof, and a bell hanging in it. It was a large house, but one of broken fortunes; for the spacious offices were little used, their walls were damp and mossy, their windows broken, and their gates de-cayed. Fowls clucked and strutted in the stables; and

so. Adesso si potevano vedere dei cavallini che trottavano incontro a loro, montati da ragazzi, i quali gridando chiamavano altri ragazzi che si trovavano in carriole campestri guidate da contadini. Tutti questi ragazzi erano allegrissimi, e si scambiavano grida gioiose, tanto che tutta la distesa dei campi era talmente piena di quella musica allegra che l'aria pungente sembrava ridere nell'ascoltarla.

«Queste sono soltanto ombre delle cose che sono state» disse lo Spettro. «Non si accorgono affatto di noi.»

I giocondi viaggiatori si avvicinarono, e quando furono vicini Scrooge li riconobbe e sarebbe stato in grado di dire il nome di ciascuno. Perché provava un senso di gioia sconfinata nel vederli? Perché i suoi occhi freddi luccicavano e il cuore gli balzava in petto, mentre essi gli passavano vicino? Perché si sentiva così pieno di gioia nel sentirli augurarsi l'un l'altro *Buon Natale*, nel momento in cui si separavano all'angolo di qualche via traversa o a un bivio, per raggiungere le loro rispettive case? Che cosa rappresentava *Buon Natale* per Scrooge? In giro per augurarsi *Buon Natale!* A che cosa questo gli aveva mai giovato?

«La scuola non è completamente vuota» disse lo Spettro. «Un bambino solitario, trascurato dai suoi amici, vi si trova ancora.»

Scrooge disse che lo sapeva, e singhiozzò.

Lasciarono la strada maestra per prendere una stradicciola che egli ricordava benissimo; e presto giunsero vicino a una casa di mattoni rosso scuro con una cupola sul tetto, sormontata da una banderuola dentro la quale pendeva una campana. Era una casa grande, ma di gente impoverita, perché le stanze spaziose erano poco usate, le pareti erano umide e coperte di muffa, le finestre rotte e le porte infracidite. Nelle stalle passeggiavano e razzolavano

the coach-houses and sheds were over-run with grass. Nor was it more retentive of its ancient state, within; for entering the dreary hall, and glancing through the open doors of many rooms, they found them poorly furnished, cold, and vast.

There was an earthy savour in the air, a chilly bareness in the place, which associated itself somehow with too much getting up by candle-light, and not too much to eat.

They went, the Ghost and Scrooge, across the hall, to a door at the back of the house. It opened before them, and disclosed a long, bare, melancholy room, made barer still by lines of plain deal forms and desks. At one of these a lonely boy was reading near a feeble fire; and Scrooge sat down upon a form, and wept to see his poor forgotten self as he used to be.

Not a latent echo in the house, not a squeak and scuffle from the mice behind the panelling, not a drip from the half-thawed water-spout in the dull yard behind, not a sigh among the leafless boughs of one despondent poplar, not the idle swinging of an empty store-house door, no, not a clicking in the fire, but fell upon the heart of Scrooge with a softening influence, and gave a freer passage to his tears.

The Spirit touched him on the arm, and pointed to his younger self, intent upon his reading.

Suddenly a man, in foreign garments: wonderfully real and distinct to look at, stood outside the window, with an axe stuck in his belt, and leading by the bridle an ass laden with wood.

«Why, it's Ali Baba!» Scrooge exclaimed in ecstasy.

i polli e le rimesse delle vetture erano piene di erba. Anche nell'interno, la casa non conservava niente della sua condizione antica, giacché, entrando nell'androne sinistro e guardando attraverso le porte aperte di varie camere, videro che queste erano male ammobiliate, fredde e vuote.

Nell'aria c'era odore di terra e in tutto quel posto c'era una gelida nudità, che faceva pensare, non si sa come, a gente che si fosse alzata troppo spesso al lume di candela e non avesse troppo da mangiare.

Lo Spirito e Scrooge, traversando l'androne, si diressero verso una porta nella parte posteriore della casa. Questa si aprì dinanzi a loro, lasciando vedere una lunga, spoglia e malinconica stanza, resa ancor più spoglia da tutta una fila di rozzi banchi e tavolini. A uno di questi, un ragazzo era seduto solo a leggere vicino a un debole fuoco; e Scrooge, sedendosi su uno dei banchi, pianse nel vedere se stesso, povero e dimenticato come era solito essere.

Non c'era nella casa un'eco indistinta, non il rumore dei topi che scorrazzavano dietro il rivestimento di legno delle pareti, non una goccia che cadeva dalla fontanella mezzo congelata nel cortile malinconico, non un sospiro tra i rami spogli di un pioppo attristato, non l'inutile cigolio della porta di una dispensa vuota, no, neppure lo scoppiettare del fuoco, che non cadesse sul cuore di Scrooge con un'influenza che lo inteneriva e che non desse più libero passaggio alle sue lacrime.

Lo Spirito gli toccò il braccio e gli additò lui stesso, giovanetto, intento a leggere. A un tratto, apparve fuori dalla finestra un uomo vestito in una foggia straniera, che appariva alla vista mirabilmente reale e distinto, il quale aveva una scure infilata nella cintura e guidava per la briglia un asino carico di legna.

«Come, ma è Alì Babà!» esclamò Scrooge estatico.

«It's dear old honest Ali Baba. Yes, yes, I know. One Christmas time, when yonder solitary child was left here all alone, he did come, for the first time, just like that. Poor boy. And Valentine,» said Scrooge, «and his wild brother, Orson; there they go. And what's his name, who was put down in his drawers, asleep, at the Gate of Damascus; don't you see him! And the Sultan's Groom turned upside down by the Genie; there he is upon his head! Serve him right. I'm glad of it. What business had he to be married to the Princess!»

To hear Scrooge expending all the earnestness of his nature on such subjects, in a most extraordinary voice between laughing and crying; and to see his heightened and excited face; would have been a surprise to his business friends in the city, indeed.

«There's the Parrot!» cried Scrooge. «Green body and yellow tail, with a thing like a lettuce growing out of the top of his head; there he is. Poor Robin Crusoe, he called him, when he came home again after sailing round the island. "Poor Robin Crusoe, where have you been, Robin Crusoe?"» The man thought he was dreaming, but he wasn't. It was the Parrot, you know. There goes Friday, running for his life to the little creek. Hallo. Hoop. Hallo.»

Then, with a rapidity of transition very foreign to his usual character, he said, in pity for his former self, «Poor boy!» and cried again.

«I wish» Scrooge muttered, putting his hand in his pocket, and looking about him, after drying his eyes with his cuff: «but it's too late now».

«What is the matter?» asked the Spirit.

«Nothing» said Scrooge. «Nothing. There was a

«Quel caro, vecchio e buon Alì Babà! Sì, sì, lo so, una volta a Natale, quando quel bambino solitario era rimasto qui abbandonato da tutti, lui venne, per la prima volta, proprio come ora. Povero ragazzo! E Valentino,» disse Scrooge «e quel monello di suo fratello Orson, eccoli là! E come si chiama quello che fu messo a dormire vestito alla porta di Damasco? Non lo vedete? E il servitore del Sultano che fu voltato a capo di sotto; eccolo là, piantato sulla testa! Gli sta bene, ne sono contento. Perché aveva osato sposare la principessa?»

Sentire Scrooge spiegare tutta la serietà della sua natura a proposito di argomenti come quelli, con una voce straordinaria che stava tra il riso e il pianto, e vedere la sua faccia accalorata ed eccitata, sarebbe stata davvero una sorpresa per tutti i suoi colleghi commercianti della City.

«Ecco il Pappagallo!» gridò Scrooge «col corpo verde e la coda gialla, con una cosa che pare una foglia di lattuga che gli cresce fuori in cima alla testa; eccolo! Povero Robin Crusoe, è lui che lo chiamò quando tornò a casa dopo aver viaggiato intorno all'isola. "Povero Robin Crusoe, dove sei stato, Robin Crusoe?" L'uomo credeva di sognare, ma non sognava; era il Pappagallo, sapete. E quello è Venerdì che corre, per salvarsi, verso il ruscello! Hallo! Hop! Hallo!» Indi, con una rapidità di transizione molto aliena dalla sua natura consueta, disse compassionando il se stesso d'una volta: «Povero ragazzo!» e ricominciò a piangere.

«Vorrei,» mormorò Scrooge, mettendosi la mano in tasca e dando un'occhiata in giro, dopo essersi asciugato gli occhi con la manica «... ma ora è troppo tardi.»

«Di che si tratta?» chiese lo Spirito.

«Niente» disse Scrooge «niente. Ieri sera dietro la

boy singing a Christmas Carol at my door last night. I should like to have given him something: that's all.»

The Ghost smiled thoughtfully, and waved its hand, saying as it did so: «Let us see another Christmas!».

Scrooge's former self grew larger at the words, and the room became a little darker and more dirty. The panels shrunk, the windows cracked; fragments of plaster fell out of the ceiling, and the naked laths were shown instead; but how all this was brought about, Scrooge knew no more than you do. He only knew that it was quite correct; that everything had happened so; that there he was, alone again, when all the other boys had gone home for the jolly holidays.

He was not reading now, but walking up and down despairingly.

Scrooge looked at the Ghost, and with a mournful shaking of his head, glanced anxiously towards the door.

It opened; and a little girl, much younger than the boy, came darting in, and putting her arms about his neck, and often kissing him, addressed him as her «Dear, dear brother».

«I have come to bring you home, dear brother» said the child, clapping her tiny hands, and bending down to laugh. «To bring you home, home, home!»

«Home, little Fan?» returned the boy.

«Yes!» said the child, brimful of glee. «Home, for good and all. Home, for ever and ever. Father is so much kinder than he used to be, that home's like Heaven! He spoke so gently to me one dear night when I was going to bed, that I was not afraid to ask him once more if you might come home; and he

mia porta c'era un ragazzo che cantava una ballata di Natale. Mi piacerebbe avergli dato qualche cosa, ecco tutto.»

Lo Spettro ebbe un sorriso pensieroso e, con un gesto della mano, disse: «Andiamo a vedere un altro Natale».

A queste parole, l'immagine dello Scrooge d'una volta divenne più grande e la stanza divenne un po' più scura e più sporca. Il rivestimento dei muri si restrinse, le finestre scricchiolarono, frammenti di intonaco caddero giù dal soffitto, lasciando vedere le travi nude; ma come tutto questo era avvenuto, Scrooge non lo sapeva, più di quanto non lo sappiate voi. Sapeva soltanto che tutto era perfettamente esatto; che tutto quanto si era svolto in quel modo, e che lì era lui, solo ancora una volta, mentre tutti gli altri ragazzi erano andati a casa a passare una gioconda vacanza.

Ora non stava più leggendo, ma passeggiava in su e in giù, con aria disperata. Scrooge guardò lo Spettro e, scuotendo mestamente la testa, diede un'occhiata ansiosa alla porta.

Questa si aprì e una bambina molto più piccola del ragazzo venne dentro di corsa e, gettandogli le braccia al collo e baciandolo più e più volte, lo chiamò il suo «caro, caro fratello».

«Sono venuta per portarti a casa, caro fratello» disse la bambina, battendo le mani e ridendo; «per portarti a casa, a casa, a casa.»

«A casa, piccola Fan?» rispose il ragazzo.

«Sì» disse la bambina, raggiante di gioia. «A casa, e per sempre. Il babbo ora è talmente più buono di prima, che la nostra casa è un paradiso! Mi ha parlato con tanta dolcezza, una bella sera, quando stavo andando a letto, che non ho più avuto paura di chiedergli una volta di più se tu potevi tornare a casa, e

said: "Yes, you should" and sent me in a coach to bring you. And you're to be a man!» said the child, opening her eyes, «and are never to come back here; but first, we're to be together all the Christmas long, and have the merriest time in all the world.»

«You are quite a woman, little Fan!» exclaimed the boy.

She clapped her hands and laughed, and tried to touch his head; but being too little, laughed again, and stood on tiptoe to embrace him. Then she began to drag him, in her childish eagerness, towards the door; and he, nothing loth to go, accompanied her.

A terrible voice in the hall cried. «Bring down Master Scrooge's box, there» and in the hall appeared the schoolmaster himself, who glared on Master Scrooge with a ferocious condescension, and threw him into a dreadful state of mind by shaking hands with him. He then conveyed him and his sister into the veriest old well of a shivering best-parlour that ever was seen, where the maps upon the wall, and the celestial and terrestrial globes in the windows, were waxy with cold. Here he produced a decanter of curiously light wine, and a block of curiously heavy cake, and administered instalments of those dainties to the young people: at the same time, sending out a meagre servant to offer a glass of something to the post-boy, who answered that he thanked the gentleman, but if it was the same tap as he had tasted before, he had rather not. Master Scrooge's trunk being by this time tied on to the top of the chaise, the children bade the schoolmaster good-bye right willingly; and getting into it, drove gaily down the garden-sweep: the quick wheels dashing the hoar-frost and snow from off the dark leaves of the evergreens like spray.

lui ha detto di sì, che dovevi tornare e mi ha mandato in carrozza a prenderti. E tu diverrai un uomo» disse la bambina spalancando gli occhi «e non tornerai più qui; ma per prima cosa saremo tutti riuniti per tutto il periodo di Natale e ci divertiremo come non ci siamo mai divertiti.»

«Tu sei proprio una donna, Fan!» esclamò il ragazzo.

Lei batté le mani ridendo e tentò di toccargli la testa, ma era troppo piccola, e perciò rise di nuovo e si alzò in punta di piedi per abbracciarlo; poi prese a trascinarlo verso la porta, con una impazienza fanciullesca, ed egli, felicissimo di andare, l'accompagnò.

Una voce terribile gridò nell'ingresso: «Portate giù i bagagli del signorino Scrooge!» e apparve nell'ingresso il maestro di scuola in persona, che diede al signorino Scrooge un'occhiata di feroce condiscendenza, e gli sconvolse completamente lo spirito stringendogli la mano; poi accompagnò lui e la sorella in un salotto di ricevimento gelido come un vecchio pozzo, nel quale le carte geografiche appese al muro e i globi celesti e terrestri vicino alla finestra parevano congelati dal freddo. Qui tirò fuori una caraffa di un vino curiosamente leggero e un pezzo di una torta curiosamente pesante, e ne somministrò una razione ai ragazzi, mandando fuori al tempo stesso uno sparuto servitore a offrire un bicchiere di quella roba al portalettere, il quale rispose che ringraziava molto il signore, ma che, se la qualità era la stessa che aveva assaggiato l'altra volta, preferiva non prendere niente. Nel frattempo, il baule del signorino Scrooge era stato legato sul tetto della carrozza e i ragazzi dissero molto volentieri «arrivederci» al maestro di scuola, salirono, e la carrozza corse allegramente giù per il viale del giardino. Le sue ruote veloci facevano cadere i ghiaccioli e la neve, come una doccia, giù dalle foglie scure dei sempreverdi.

«Always a delicate creature, whom a breath might have withered» said the Ghost. «But she had a large heart.»

«So she had» cried Scrooge. «You're right. I will not gainsay it, Spirit. God forbid!»

«She died a woman,» said the Ghost, «and had, as I think, children.»

«One child» Scrooge returned.

«True» said the Ghost. «Your nephew.»

Scrooge seemed uneasy in his mind; and answered briefly, «Yes».

Although they had but that moment left the school behind them, they were now in the busy thoroughfares of a city, where shadowy passengers passed and repassed; where shadowy carts and coaches battle for the way, and all the strife and tumult of a real city were. It was made plain enough, by the dressing of the shops, that here too it was Christmas time again; but it was evening, and the streets were lighted up.

The Ghost stopped at a certain warehouse door, and asked Scrooge if he knew it.

«Know it» said Scrooge. «I was apprenticed here.»

They went in. At sight of an old gentleman in a Welsh wig, sitting behind such a high desk, that if he had been two inches taller he must have knocked his head against the ceiling, Scrooge cried in great excitement: «Why, it's old Fezziwig! Bless his heart; it's Fezziwig alive again!»

Old Fezziwig laid down his pen, and looked up at the clock, which pointed to the hour of seven. He rubbed his hands; adjusted his capacious waistcoat; laughed all over himself, from his shows to his organ of benevolence; and called out in a comfortable, oily, rich, fat, jovial voice: «Yo ho, there! Ebenezer! Dick!».

«Fu sempre una creatura delicata, che un soffio bastava a far appassire,» disse lo Spettro «ma aveva un gran cuore.»

«È vero,» gridò Scrooge «avete ragione. Non sarò io certo a dire il contrario, Spirito. Dio non voglia!»

«Morì dopo esser diventata donna» disse lo Spettro; «credo che abbia avuto dei bambini.»

«Un bambino» replicò Scrooge.

«È vero» disse lo Spettro. «Vostro nipote.»

Scrooge parve sentirsi a disagio e rispose, asciutto: «Già».

Benché avessero lasciato la scuola in quello stesso istante, ora si trovavano nella strada più animata di una città, per la quale passavano e ripassavano ombre di passeggeri, ombre di carri e di carrozze che tentavano di sorpassarsi, e c'era l'andirivieni e il trambusto di una vera città. Dal modo nel quale erano messe le vetrine delle botteghe, era abbastanza chiaro che anche qui era Natale; ma era di sera e le strade erano illuminate. Lo Spettro si fermò alla porta di un certo magazzino e chiese a Scrooge se lo conosceva.

«Se lo conosco!» disse Scrooge. «Non è forse qui che sono stato garzone?»

Entrarono. Vedendo un vecchio signore con una strana parrucca in testa, seduto dietro uno scrittoio così alto che, se fosse stato appena due pollici più grande, avrebbe sbattuto la testa contro il soffitto, Scrooge gridò, tutto eccitato:

«Ma è il vecchio Fezziwig! Dio lo benedica, è Fezziwig, vivo un'altra volta!»

Il vecchio Fezziwig mise giù la penna e guardò l'orologio che segnava le sette. Si fregò le mani, si aggiustò l'ampio panciotto, rise con tutta la persona, dalle scarpe alla faccia, e gridò con una voce buona, untuosa, calda, grassa, gioviale: «Voi due, laggiù! Ebenezer, Dick!».

Scrooge's former self, now grown a young man, came briskly in, accompanied by his fellow-prentice.

«Dick Wilkins, to be sure» said Scrooge to the Ghost. «Bless me, yes. There he is. He was very much attached to me, was Dick. Poor Dick! Dear, dear!»

«Yo ho, my boys!» said Fezziwig. «No more work tonight. Christmas Eve, Dick. Christmas, Ebenezer. Let's have the shutters up» cried old Fezziwig, with a sharp clap of his hands, «before a man can say Jack Robinson.»

You wouldn't believe how those two fellows went at it. They charged into the street with the shutters – one, two, three – had them up in their places – four, five, six – barred them and pinned then – seven, eight, nine – and came back before you could have got to twelve, panting like race-horses.

«Hilli-ho!» cried old Fezziwig, skipping down from the high desk, with wonderful agility. «Clear away, my lads, and let's have lots of room here. Hilliho, Dick! Chirrup, Ebenezer!»

Clear away! There was nothing they wouldn't have cleared away, or couldn't have cleared away, with old Fezziwig looking on. It was done in a minute. Every movable was packed off, as if it were dismissed from public life for evermore; the floor was swept and watered, the lamps were trimmed, fuel was heaped upon the fire; and the warehouse was as snug, and warm, and dry, and bright a ball-room, as you would desire to see upon a winter's night.

In came a fiddler with a music-book, and went up to the lofty desk, and made an orchestra of it, and tuned like fifty stomach-aches. In came Mrs Fezziwig, one vast substantial smile. In came the three Miss Fezziwigs, beaming and lovable. In came the six

Lo Scrooge di allora, ormai diventato un giovanotto, venne dentro rapidamente, accompagnato dal compagno.

«Dick Wilkins, naturalmente» disse Scrooge allo Spettro. «Davvero, è proprio lui! Mi voleva molto bene, Dick. Povero Dick! Caro, caro!»

«Oh, ragazzi!» disse Fezziwig. «Per stasera non si lavora più. È la vigilia di Natale, Dick. È Natale, Ebenezer. Mettiamo le serrande» gridò il vecchio Fezziwig, battendo forte le mani «e in un batter d'occhio!»

Non si può credere come i due ragazzi si misero al lavoro. Corsero in strada con le serrande, – uno, due, tre; le alzarono a posto – quattro, cinque, sei; misero le sbarre e i chiodi – sette, otto, nove – e tornarono indietro, ansimando come cavalli da corsa, prima che voi non sareste riusciti ad arrivare a dodici.

«Bravi!» gridò il vecchio Fezziwig, scendendo giù da quella sua alta scrivania con un'agilità straordinaria. «Sgombrate tutto, ragazzi, che ci sia molto spazio! Su, Dick! Svelto, Ebenezer!»

Sgombrare! Non c'era cosa che non avrebbero sgombrato, o che non avrebbero potuto sgombrare, sotto gli occhi del vecchio Fezziwig. Tutto fu fatto in un attimo. Tutte le cose mobili vennero imballate, come se fossero escluse d'ora innanzi dalla vita pubblica; il pavimento fu spazzato e innaffiato, le lampade furono ravvivate, il carbone fu messo sul fuoco; e il magazzino si trasformò in una sala da ballo comoda, calda, asciutta e luminosa quanto era possibile desiderare in una serata invernale.

Entrò un violinista con un libro di musica, si diresse verso quell'alta scrivania, la trasformò in un'orchestra e si mise ad accordare lamentosamente lo strumento. Entrò la signora Fezziwig, tutta un vasto e sostanzioso sorriso. Entrarono le tre signorine Fezziwig, raggianti e graziose. Entrarono i sei giovani

young followers whose hearts they broke. In came all the young men and women employed in the business. In came the housemaid, with her cousin, the baker. In came the cook, with her brother's particular friend, the milkman. In came the boy from over the way, who was suspected of not having board enough from his master; trying to hide himself behind the girl from next door but one, who was proved to have had her ears pulled by her mistress. In they all came, one after another; some shyly, some boldly, some gracefully, some awkwardly, some pushing, some pulling; in they all came, anyhow and everyhow. Away they all went, twenty couples at once; hands half round and back again the other way; down the middle and up again; round and round in various stages of affectionate grouping; old top couple always turning up in the wrong place; new top couple starting off again, as soon as they got there; all top couples at last, and not a bottom one to help them. When this result was brought about, old Fezziwig, clapping his hands to stop the dance, cried out: «Well done» and the fiddler plunged his hot face into a pot of porter, especially provided for that purpose. But scorning rest, upon his reappearance, he instantly began again, though there were no dancers yet, as if the other fiddler had been carried home, exhausted, on a shutter, and he were a bran-new man resolved to beat him out of sight, or perish.

There were more dances, and there were forfeits, and more dances, and there was cake, and there was negus, and there was a great piece of Cold Roast, and there was a great piece of Cold Boiled, and there were mince-pies, and plenty of beer. But the great effect of the evening came after the Roast and Boiled, when the fiddler (an artful dog, mind! The sort of man who knew his business better than you or I

ammiratori ai quali avevano spezzato il cuore. Entrarono tutti i giovani, impiegati della casa, uomini e donne, la cameriera col cugino fornaio, la cuoca col lattaio amico intimo di suo fratello. Entrò il ragazzo della casa di fronte del quale si sospettava che non ricevesse abbastanza da mangiare dal suo padrone, che cercava di nascondersi dietro la ragazzina della porta accanto, alla quale era ormai accertato che la padrona aveva tirato le orecchie. Entrarono tutti, uno dopo l'altro; alcuni tirati da altri, e alcuni che ne tiravano altri; insomma entrarono tutti. Venti coppie si mossero tutte insieme, in un senso, e fatto mezzo giro tornarono indietro nell'altro senso; si spinsero al centro della stanza e tornarono verso la parete; andarono in giro aggruppandosi affettuosamente in varie forme; la vecchia coppia di testa voltava sempre nel punto sbagliato e la nuova coppia di testa ripartiva appena arrivata allo stesso punto; finalmente tutte le coppie furono in testa e dietro non ce n'era nessuna di sostegno. Quando questo risultato fu raggiunto, il vecchio Fezziwig batté le mani per fermare la danza e gridò: «Bravi!» e il violinista affondò la faccia accaldata in un gran gotto di birra, preparato appositamente per questo scopo; ma non appena ricomparve non si concesse riposo e ricominciò immediatamente, per quanto non ci fossero ancora ballerini, come se l'altro violinista fosse stato trasportato a casa, esausto, su una barella e lui fosse stato un uomo freschissimo, deciso, anche a costo di morire, a non lasciarlo più ritornare.

Ci furono altre danze, altri riposi e altre danze ancora; e ci fu un dolce, e vino caldo e un gran pezzo di arrosto freddo, un gran pezzo di bollito freddo, pasticci di carne e birra in abbondanza. Ma il numero più importante della serata si ebbe dopo l'arrosto e il bollito, quando il violinista (il quale, badate bene, era un uomo astutissimo, uno di quegli uomini che

could have told it him!) struck up *Sir Roger de Coverley*. Then old Fezziwig stood out to dance with Mrs Fezziwig. Top couple, too; with a good stiff piece of work cut out for them; three or four and twenty pair of partners; people who were not to be trifled with; people who would dance, and had no notion of walking.

But if they had been twice as many – ah, four times – old Fezziwig would have been a match for them, and so would Mrs Fezziwig. As to her, she was worthy to be his partner in every sense of the term. If that's not high praise, tell me higher, and I'll use it. A positive light appeared to issue from Fezziwig's calves. They shone in every part of the dance like moons.

You couldn't have predicted, at any given time, what would have become of them next. And when old Fezziwig and Mrs Fezziwig had gone all through the dance; advance and retire, both hands to your partner, bow and curtsey, corkscrew, thread-the-needle, and back again to your place; Fezziwig cut – cut so deftly, that he appeared to wink with his legs, and came upon his feet again without a stagger.

When the clock struck eleven, this domestic ball broke up. Mr and Mrs Fezziwig took their stations, one on either side of the door, and shaking hands with every person individually as he or she went out, wished him or her a Merry Christmas. When everybody had retired but the two prentices, they did the same to them; and thus the cheerful voices died away, and the lads were left to their beds; which were under a counter in the back-shop.

During the whole of this time, Scrooge had acted like a man out of his wits. His heart and soul were in

sanno il loro mestiere meglio di quanto voi o io non avremmo potuto insegnarglielo) attaccò *Sir Roger de Coverley*. Allora il vecchio Fezziwig si alzò per ballare con la signora Fezziwig, e anzi formarono la coppia di testa, con un bellissimo accompagnamento di ventitré o ventiquattro coppie di ballerini, tutta gente con la quale non si scherzava, che voleva ballare e non semplicemente passeggiare.

Ma anche se fossero stati due e magari quattro volte tanti, il vecchio Fezziwig sarebbe stato in grado di tener loro testa, e così pure la signora Fezziwig. Quanto a lei, era degna del suo ballerino in tutto il senso della parola; e se questo non è un elogio abbastanza alto, ditemene uno più alto e io me ne servirò. I polpacci di Fezziwig sembrava proprio che mandassero luce. Brillavano come lune in tutti i momenti del ballo; e nessuno avrebbe potuto predire, in un momento qualsiasi, che cosa sarebbe accaduto di loro il momento successivo. E quando il vecchio Fezziwig e la signora Fezziwig ebbero eseguito tutte le figure – avanti, indietro, tenete la dama per mano, inchino, riverenza, mezzo giro e tornate al vostro posto, – Fezziwig fece un inchino così profondo, che sembrava volesse ammiccare con la gamba; e si rialzò in piedi senza barcollare.

Quando l'orologio batté le undici questo ballo di famiglia finì. Fezziwig e la signora si collocarono sulla porta, uno per parte, e, stringendo la mano individualmente a tutti quelli che uscivano, uomo o donna, augurarono a lui o a lei *Buon Natale*. Quando tutti si furono ritirati, tranne i due garzoni, fecero lo stesso con loro; e così le voci allegre si dileguarono e i ragazzi andarono a coricarsi nei loro letti che erano collocati sotto un banco del retrobottega.

Durante tutto questo tempo, Scrooge si era comportato come un uomo che abbia perduto la ragione.

the scene, and with his former self. He corroborated everything, remembered everything, enjoyed everything, and underwent the strangest agitation. It was not until now, when the bright faces of his former self and Dick were turned from them, that he remembered the Ghost, and became conscious that it was looking full upon him, while the light upon its head burnt very clear.

«A small matter» said the Ghost, «to make these silly folks so full of gratitude.»

«Small» echoed Scrooge.

The Spirit signed to him to listen to the two apprentices, who were pouring out their hearts in praise of Fezziwig: and when he had done so, said: «Why! Is it not? He has spent but a few pounds of your mortal money: three or four perhaps. Is that so much that he deserves this praise?».

«It isn't that» said Scrooge, heated by the remark, and speaking unconsciously like his former not his latter, self. «It isn't that, Spirit. He has the power to render us happy or unhappy; to make our service light or burdensome; a pleasure or a toil. Say that his power lies in words and looks; in things so slight and insignificant that it is impossible to add and count them up, what then? The happiness he gives, is quite as great as if it cost a fortune.»

He felt the Spirit's glance, and stopped.

«What is the matter?» asked the Ghost.

«Nothing in particular» said Scrooge.

«Something, I think» the Ghost insisted.

«No,» said Scrooge, «no. I should like to be able to say a word or two to my clerk just now. That's all.»

Il suo cuore e il suo animo erano tutti presi dalla scena e dall'antico suo essere. Confermava ogni cosa, ricordava ogni cosa, si divertiva di ogni cosa ed era in uno stato di stranissima agitazione. Fu solo in questo momento, allorché le facce luminose di quelli che erano stati lui stesso e Dick disparvero dalla loro vista, che si ricordò dello Spettro e si accorse che questi lo guardava fisso, mentre la luce sulla sua testa brillava di un vivo chiarore.

«È una ben piccola cosa» disse lo Spettro «ispirare tanta gratitudine a tutti questi sciocchi.»

«Piccola!» fece eco Scrooge.

Lo Spirito gli fece segno di ascoltare i due garzoni, i quali stavano profondendo a Fezziwig tutti gli elogi di cui i loro cuori erano capaci; dopo di che disse:

«Come, non è forse così? Ha speso poche sterline di quel vostro denaro mortale, tre o quattro al massimo. E questo basta per meritargli questi elogi?»

«Non è così» disse Scrooge, irritato per l'osservazione, e parlando inconsciamente come avrebbe parlato quello che lui era prima e non quello che era adesso. «Non è così, Spirito. È in sua facoltà renderci felici o infelici, rendere il nostro servizio leggero o gravoso, un piacere o un tormento. Diciamo pure che questa sua facoltà risiede nelle sue parole e nel suo aspetto, in cose tanto leggere e insignificanti, che è impossibile contarle e sommarle; ma anche se è così? La felicità che dispensa non è meno grande che se gli costasse un patrimonio.»

Sentì sopra di sé lo sguardo dello Spettro e si fermò.

«Che cosa è successo?» chiese lo Spettro.

«Niente di speciale» disse Scrooge.

«Ma sì, qualcosa, mi pare» insistette lo Spettro.

«No,» disse Scrooge «no. Vorrei soltanto poter dire una parola o due al mio impiegato in questo momento. Questo è tutto.»

His former self turned down the lamps as he gave utterance to the wish; and Scrooge and the Ghost again stood side by side in the open air.

«My time grows short,» observed the Spirit. «Quick!»

This was not addressed to Scrooge, or to any one whom he could see, but it produced an immediate effect. For again Scrooge saw himself. He was older now; a man in the prime of life. His face had not the harsh and rigid lines of later years; but it had begun to wear the signs of care and avarice. There was an eager, greedy, restless motion in the eye, which showed the passion that had taken root, and where the shadow of the growing tree would fall.

He was not alone, but sat by the side of a fair young girl in a mourning-dress in whose eyes there were tears, which sparkled in the light that shone out of the Ghost of Christmas Past.

«It matters little,» she said, softly. «To you, very little. Another idol has displaced me; and if it can cheer and comfort you in time to come, as I would have tried to do, I have no just cause to grieve.»

«What Idol has displaced you?» he rejoined.

«A golden one.»

«This is the even-handed dealing of the world» he said. «There is nothing on which it is so hard as poverty; and there is nothing it professes to condemn with such severity as the pursuit of wealth.»

«You fear the world too much» she answered, gently. «All your other hopes have merged into the hope of being beyond the chance of its sordid reproach. I have seen your nobler aspirations fall off

Mentre esprimeva questo desiderio, l'antico suo essere spense i lumi e Scrooge e lo Spettro si trovarono di nuovo all'aperto l'uno a fianco dell'altro.

«Non mi resta che poco tempo» osservò lo Spirito; «presto!»

Queste parole non erano rivolte a Scrooge o ad alcun'altra persona visibile, ma produssero un effetto immediato, perché Scrooge tornò a vedere se stesso un'altra volta. Ora era più vecchio: un uomo nel fiore degli anni. Il suo volto non aveva le linee dure e rigide degli anni successivi, ma aveva incominciato a recare i segni della preoccupazione e dell'avarizia. Negli occhi c'era un moto vivo, avido, irrequieto, rivelatore della passione che si era già radicata in lui e della direzione nella quale, crescendo, l'albero avrebbe steso la propria ombra.

Non era solo. Era seduto accanto a una ragazza bionda, vestita a lutto, i cui occhi erano pieni di lacrime che luccicavano al chiarore che emanava dallo Spettro del Natale Passato.

«Importa ben poco» disse lei, dolcemente, «per te, ben poco. Un altro ideale ha preso il mio posto, e se esso è capace di renderti la vita gioconda e gradevole, come io avrei cercato di fare, non ho motivo di dolermi.»

«Qual è l'idolo che ha preso il tuo posto?» replicò lui.

«Un idolo d'oro.»

«Ecco la leggerezza con la quale agisce il mondo» disse Scrooge. «Non c'è cosa contro la quale si mostri duro come contro la povertà; e tuttavia non c'è cosa che mostri di condannare tanto severamente quanto la ricerca della ricchezza.»

«Hai troppa paura del mondo» rispose lei, con dolcezza. «Tutte le tue altre speranze si sono fuse in un'unica speranza, quella di essere al di sopra dei suoi meschini rimproveri. Ho veduto cadere a una a una tutte le tue più nobili aspirazioni, finché la pas-

one by one, until the master-passion, Gain, engrosses you. Have I not?»

«What then?» he retorted. «Even if I have grown so much wiser, what then? I am not changed towards you.»

She shook her head.

«Am I?»

«Our contract is an old one. It was made when we were both poor and content to be so, until, in good season, we could improve our worldly fortune by our patient industry. You are changed. When it was made, you were another man.»

«I was a boy» he said impatiently.

«Your own feeling tells you that you were not what you are» she returned. «I am. That which promised happiness when we were one in heart, is fraught with misery now that we are two. How often and how keenly I have thought of this, I will not say. It is enough that I have thought of it, and can release you.»

«Have I ever sought release?»

«In words. No. Never.»

«In what, then?»

«In a changed nature; in an altered spirit; in another atmosphere of life; another Hope as its great end. In everything that made my love of any worth or value in your sight. If this had never been between us» said the girl, looking mildly, but with steadiness, upon him; «tell me, would you seek me out and try to win me now? Ah, no!»

He seemed to yield to the justice of this supposition, in spite of himself. But he said with a struggle, «You think not».

sione dominante, quella del guadagno, non ti ha preso interamente. Non è forse vero?»

«E anche se è così?» replicò lui. «Anche se sono diventato più saggio, che vuol dire? Verso di te non sono cambiato.»

Lei scosse la testa.

«Sono forse cambiato?»

«Il nostro impegno reciproco è di antica data. Risale al tempo in cui eravamo entrambi poveri e soddisfatti di esserlo, finché, in tempi più propizi, non fossimo riusciti a migliorare, a forza di lavoro paziente, la nostra fortuna mondana. Tu sei cambiato. Quando prendemmo quell'impegno, eri un altro uomo.»

«Ero un ragazzo» disse lui con impazienza.

«Tu stesso, nel tuo intimo, sai che non eri quello che sei adesso» replicò la fanciulla. «Io sono rimasta la stessa. Ciò che ci prometteva la felicità quando eravamo di cuore una persona sola, è grave di miseria ora che siamo due. Non voglio dirti quanto spesso e quanto profondamente io abbia pensato a queste cose; basta che ci abbia pensato e che sia in grado di restituirti la libertà.»

«Ho forse mai cercato la libertà?»

«A parole no, mai.»

«E in che modo, allora?»

«Nella tua natura cambiata, nel tuo spirito mutato, nella diversa atmosfera di vita e nella diversa speranza di cui fai lo scopo di questa, in tutto quanto rendeva prezioso agli occhi tuoi il mio amore. Di' la verità: se tutto questo non fosse mai esistito tra noi,» disse la ragazza, fissandolo dolcemente, ma con fermezza «dimmi, verresti tu ora a cercar di me e a tentare di conquistarmi? Ah, no!»

Egli parve cedere suo malgrado, di fronte a una così giusta supposizione. Tuttavia, disse, non senza sforzo: «Tu credi di no».

«I would gladly think otherwise if I could» she answered. «Heaven knows. When I have learned a Truth like this, I know how strong and irresistible it must be. But if you were free today, tomorrow, yesterday, can even I believe that you would choose a dowerless girl – you who, in your very confidence with her, weigh everything by Gain: or, choosing her, if for a moment you were false enough to your one guiding principle to do so, do I not know that your repentance and regret would surely follow. I do; and I release you. With a full heart, for the love of him you once were.»

He was about to speak; but with her head turned from him, she resumed.

«You may – the memory of what is past half makes me hope you will have pain in this. A very, very brief time, and you will dismiss the recollection of it, gladly, as an unprofitable dream, from which it happened well that you awoke. May you be happy in the life you have chosen.»

She left him, and they parted.

«Spirit,» said Scrooge, «show me no more. Conduct me home. Why do you delight to torture me?»

«One shadow more» exclaimed the Ghost.

«No more» cried Scrooge. «No more, I don't wish to see it. Show me no more!»

But the relentless Ghost pinioned him in both his arms, and forced him to observe what happened next.

They were in another scene and place; a room, not very large or handsome, but full of comfort. Near to the winter fire sat a beautiful young girl, so like that last that Scrooge believed it was the same, until he saw her, now a comely matron, sitting opposite her daughter. The noise in this room was perfectly tumultuous,

«Sarei felice di poter credere un'altra cosa, se potessi» rispose lei. «Lo sa il cielo! Quando ho conosciuto una verità come questa, so che deve essere una verità potente e irresistibile. Ma se tu fossi libero oggi, domani, ieri, come potrei credere che sceglieresti una ragazza senza dote, tu che perfino nell'intimità con lei pesi tutto quanto sulla bilancia del guadagno; o, se tu la scegliessi, se tu per farlo fossi capace, per un momento, di non tener fede all'unico principio che ti guida, non so forse con certezza che te ne pentiresti e lo deploreresti? Sì, lo so e ti rendo la tua libertà, con cuore sincero, per amore di quello che tu eri una volta.»

Egli avrebbe voluto parlare, ma lei, volgendo la testa dall'altra parte, riprese:

«Può darsi che questo ti faccia soffrire, e il ricordo del passato mi fa quasi sperare che ne soffrirai. Ma sarà per poco tempo; e ne allontanerai da te stesso il ricordo, con gioia, come un sogno inutile dal quale è bene che tu ti sia destato. Possa tu esser felice nella vita che ti sei scelto!»

Lei lo lasciò, e i due si separarono.

«Spirito,» disse Scrooge «non fatemi vedere altro. Conducetemi a casa. Perché godete nel torturarmi?»

«Un'altra ombra!» esclamò lo Spettro.

«No, nessuna,» gridò Scrooge «nessuna più. Non voglio vederla. Non fatemi vedere altro!»

Ma lo Spettro lo afferrò senza pietà per le braccia e lo costrinse a osservare quello che accadde dopo.

Si trovavano in un luogo e in uno scenario diversi: una stanza non molto grande né bella, ma perfettamente comoda. Accanto al caminetto era seduta una bella ragazza giovane, che somigliava tanto a quella di prima che Scrooge credette che fosse la stessa, finché non vide lei che ora era una bella signora seduta di fronte a sua figlia. La stanza era piena di rumori tu-

for there were more children there, than Scrooge in his agitated state of mind could count; and, unlike the celebrated herd in the poem, they were not forty children conducting themselves like one, but every child was conducting itself like forty. The consequences were uproarious beyond belief; but no one seemed to care; on the contrary, the mother and daughter laughed heartily, and enjoyed it very much; and the latter, soon beginning to mingle in the sports, got pillaged by the young brigands most ruthlessly. What would I not have given to one of them! Though I never could have been so rude, no, no. I wouldn't for the wealth of all the world have crushed that braided hair, and torn it down; and for the precious little shoe, I wouldn't have plucked it off, God bless my soul. To save my life. As to measuring her waist in sport, as they did, bold young brood, I couldn't have done it; I should have expected my arm to have grown round it for a punishment, and never come straight again. And yet I should have dearly liked, I own, to have touched her lips; to have questioned her, that she might have opened them; to have looked upon the lashes of her downcast eyes, and never raised a blush; to have let loose waves of hair, an inch of which would be a keepsake beyond price: in short, I should have liked, I do confess, to have had the lightest licence of a child, and yet to have been man enough to know its value.

But now a knocking at the door was heard, and such a rush immediately ensued that she with laughing face and plundered dress was borne towards it the centre of a flushed and boisterous group, just in time to greet the father, who came home attended by a man laden with Christmas toys and presents. Then the shouting and the struggling, and the onslaught

multuosi, perché c'erano più bambini di quanti Scrooge, nelle agitate condizioni del suo spirito, fosse in grado di contare; e, diversamente da quel che è detto nella poesia, non erano quaranta bambini che si comportavano come uno solo, ma ogni bambino si comportava come quaranta. Il risultato era uno schiamazzo incredibile, al quale sembrava che nessuno badasse: anzi, madre e figlia ridevano cordialmente e avevano l'aria di divertirsi molto; e ben presto la seconda, avendo preso a mescolarsi ai giochi dei bambini, fu strapazzata nel modo più spietato da quei giovani briganti. Che cosa non avrei dato per poter essere uno di loro! Eppure non avrei potuto mai essere tanto villano, no certo. Per tutto l'oro del mondo non avrei tirato e strappato quei capelli d'oro; e quanto a quelle graziose scarpette, non gliele avrei tolte, lo sa Iddio, neppure per salvare la mia vita. Quanto poi ad afferrarla alla cintola, come facevano quei ragazzi sfacciati, non avrei mai potuto farlo. Avrei avuto paura che per punizione il braccio mi rimanesse contorto e non si fosse mai più raddrizzato. Eppure, confesso che mi sarebbe piaciuto immensamente di toccare le sue labbra, di toccarle per costringerla ad aprirle, di guardare le ciglia dei suoi occhi bassi senza farla arrossire, di sciogliere le onde dei suoi capelli, una ciocca dei quali sarebbe stata un ricordo prezioso; in breve, vi confesso che mi sarebbe piaciuto di avere la licenza concessa a un bambino, ma di essere abbastanza uomo da apprezzarne il valore.

Ma a questo punto si sentì bussare alla porta, e ne seguì un tale assalto che essa, col viso ridente e le vesti in disordine, fu trascinata in quella direzione, nel centro di un gruppo accaldato e tumultuoso, proprio in tempo per salutare il padre, che tornava a casa seguito da un uomo carico di giocattoli e di regali di Natale. Allora, le grida, e la lotta, e l'assalto che venne dato a quel porta-

that was made on the defenceless porter. The scaling
him with chairs for ladders to dive into his pockets,
despoil him of brown-paper parcels, hold on tight by
his cravat, hug him round his neck, pommel his
back, and kick his legs in irrepressible affection. The
shouts of wonder and delight with which the deve-
lopment of every package was received! The terrible
announcement that the baby had been taken in the
act of putting a doll's frying-pan into his mouth, and
was more than suspected of having swallowed a fic-
titious turkey, glued on a wooden platter! The immense relief of finding this a false alarm! The joy,
and gratitude, and ecstasy! They are all indescriba-
ble alike. It is enough that by degrees the children
and their emotions got out of the parlour, and by one
stair at a time, up to the top of the house; where they
went to bed, and so subsided.

And now Scrooge looked on more attentively than
ever, when the master of the house, having his daughter leaning fondly on him, sat down with her and
her mother at his own fireside; and when he thought
that such another creature, quite as graceful and as
full of promise, might have called him father, and
been a spring-time in the haggard winter of his life,
his sight grew very dim indeed.

«Belle,» said the husband, turning to his wife with
a smile, «I saw an old friend of yours this afternoon.»

«Who was it?»

«Guess.»

«How can I? Tut, don't I know» she added in the
same breath, laughing as he laughed. «Mr Scrooge.»

«Mr Scrooge it was. I passed his office window;
and as it was not shut up, and he had a candle inside, I could scarcely help seeing him. His partner lies

tore senza difesa, la scalata alla sua persona, usando le sedie come scale, per affondargli le mani nelle tasche, spogliarlo dei suoi pacchi di carta bruna, afferrarlo strettamente per la cravatta, attaccarglisi al collo, picchiarlo sulle spalle e dargli calci negli stinchi, in un moto irreprimibile di affezione! Le grida di meraviglia e di gioia con le quali era accolta l'apertura di ciascun pacco, la notizia terribile che il neonato era stato sorpreso nell'atto di cacciarsi in gola una padella da bambola ed era più che sospettato di aver ingoiato un tacchino finto, incollato su un pezzo di legno! L'immenso sollievo di constatare che era un falso allarme! La gioia, la gratitudine, l'estasi! Tutto questo era egualmente indescrivibile. Basti dire che un po' alla volta i bambini e le loro emozioni uscirono dal salotto e salirono, uno scalino per volta, fino all'ultimo piano della casa, dove si misero a letto e così si acquietarono.

A questo punto, Scrooge guardò con maggiore attenzione di prima il padrone di casa, la cui figlia si appoggiava amorosamente a lui, e che si sedeva con lei e con sua madre accanto al caminetto; e quando pensò che una creatura come quella, altrettanto graziosa e piena di promesse, avrebbe potuto chiamarlo padre ed essere la primavera nell'inverno desolato della sua vita, la vista gli si oscurò in un grado estremo.

«Belle,» disse il marito, volgendosi verso la moglie con un sorriso «ho visto un tuo vecchio amico questo pomeriggio.»

«Chi era?»

«Indovina!»

«Come posso indovinare? Ma sì, lo so!» aggiunse nello stesso momento, ridendo insieme con lui. «Il signor Scrooge.»

«Era proprio il signor Scrooge. Son passato davanti alla finestra del suo ufficio, e siccome non era chiusa e dentro c'era una candela non potevo fare a

upon the point of death, I hear; and there he sat alone. Quite alone in the world, I do believe.»

«Spirit,» said Scrooge in a broken voice, «remove me from this place.»

«I told you these were shadows of the things that have been» said the Ghost. «That they are what they are, do not blame me.»

«Remove me,» Scrooge exclaimed «I cannot bear it!»

He turned upon the Ghost, and seeing that it looked upon him with a face, in which in some strange way there were fragments of all the faces it had shown him, wrestled with it.

«Leave me! Take me back! Haunt me no longer!»

In the struggle, if that can be called a struggle in which the Ghost with no visible resistance on its own part was undisturbed by any effort of its adversary, Scrooge observed that its light was burning high and bright; and dimly connecting that with its influence over him, he seized the extinguisher-cap, and by a sudden action pressed it down upon its head.

The Spirit dropped beneath it, so that the extinguisher covered its whole form; but though Scrooge pressed it down with all his force, he could not hide the light, which streamed from under it, in an unbroken flood upon the ground.

He was conscious of being exhausted, and overcome by an irresistible drowsiness; and, further, of being in his own bedroom. He gave the cap a parting squeeze, in which his hand relaxed; and had barely time to reel to bed, before he sank into a heavy sleep.

meno di vederlo. Il suo socio, a quanto mi hanno detto, è in punto di morte; e lui era seduto lì, solo. Perfettamente solo al mondo, credo.»

«Spirito,» disse Scrooge, con voce spezzata «portatemi via di qui.»

«Vi ho detto che queste erano le ombre delle cose che sono state» disse lo Spettro. «Se sono quelle che sono, la colpa non è mia!»

«Portatemi via!» esclamò Scrooge. «Non posso sopportarlo!»

Si volse verso lo Spettro, e vedendo che questi lo guardava con un viso nel quale, stranamente, c'erano frammenti di tutti i visi che gli erano stati mostrati, cominciò a lottare con lui.

«Lasciatemi, portatemi via, non mi perseguitate più a lungo!»

In quella lotta, seppur si può chiamare una lotta, giacché contro lo Spettro, quantunque questo non opponesse nessuna visibile resistenza, tutti gli sforzi del suo avversario erano completamente vani, Scrooge osservò che la luce di lui ardeva alta e fulgida; e connettendo vagamente questa con la sua influenza su lui stesso, afferrò lo spegnitoio-berretto e con una mossa fulminea glielo premette in testa.

Lo Spettro cadde sotto lo spegnitoio, cosicché questo coprì tutta intera la sua forma; ma per quanto Scrooge lo premesse in giù con tutta la sua forza, non riusciva a nascondere la luce, la quale usciva fuori di sotto, spandendosi in terra come un flusso impossibile da trattenere.

Si sentì esausto e sopraffatto da una sonnolenza irresistibile e per di più ebbe coscienza di trovarsi nella sua propria camera da letto. Premette un'ultima volta sullo spegnitoio, e nel far questo la sua mano allentò la stretta. Ebbe appena il tempo di gettarsi sul letto prima di sprofondare in un sonno pesante.

The Second of the Three Spirits

Awaking in the middle of a prodigiously tough snore, and sitting up in bed to get his thoughts together, Scrooge had no occasion to be told that the bell was again upon the stroke of One.

He felt that he was restored to consciousness in the right nick of time, for the especial purpose of holding a conference with the second messenger despatched to him through Jacob Marley's intervention. But, finding that he turned uncomfortably cold when he began to wonder which of his curtains this new spectre would draw back, he put them every one aside with his own hands, and lying down again, established a sharp look-out all round the bed.

For, he wished to challenge the Spirit on the moment of its appearance, and did not wish to be taken by surprise, and made nervous.

Gentlemen of the free-and-easy sort, who plume themselves on being acquainted with a move or two, and being usually equal to the time-of-day, express the wide range of their capacity for adventure by observing that they are good for anything from pitch-and-toss to manslaughter; between which opposite extremes, no doubt, there lies a tolerably wide and comprehensive range of subjects. Without venturing

Strofa terza

Il secondo dei tre Spiriti

Destandosi nel bel mezzo di un russare prodigiosa-
mente rumoroso e alzandosi a sedere sul letto per
mettere un po' di ordine nelle proprie idee, Scrooge
non ebbe bisogno che nessuno gli dicesse che la
campana era già sul punto di battere l'una. Sentì di
essere stato richiamato alla coscienza nel momento
esatto e allo scopo preciso di avere un colloquio col
secondo messaggero, inviato a lui per l'intervento di
Jacob Marley. Ma, provando una sgradevole sensazione di freddo, quando incominciò a domandare a
se stesso quale delle cortine del suo letto sarebbe stata scansata da questo nuovo spettro, le scansò tutte
con le sue stesse mani, e tornando a giacere, diede
un'occhiata inquisitrice tutto intorno al letto, perché
voleva essere in grado di affrontare lo Spirito nel
momento stesso della sua apparizione e non deside-
rava esser preso di sorpresa e reso nervoso.

Gli individui faciloni, le cui cognizioni si limitano
a una mossa o due e che si credono abitualmente al-
l'altezza di qualunque situazione, riassumono tutta
l'ampiezza delle loro attitudini all'avventura nel di-
chiararsi buoni a qualunque cosa, dal gioco più innocente all'omicidio; due estremi opposti, tra i quali
esiste senza dubbio una sfera ben vasta e comprensi-
va di soggetti. Senza osare di impegnarmi fino a que-

for Scrooge quite as hardily as this, I don't mind calling on you to believe that he was ready for a good broad field of strange appearances, and that nothing between a baby and rhinoceros would have astonished him very much.

Now, being prepared for almost anything, he was not by any means prepared for nothing; and, consequently, when the bell struck One, and no shape appeared, he was taken with a violent fit of trembling. Five minutes, ten minutes, a quarter of an hour went by, yet nothing came. All this time, he lay upon his bed, the very core and centre of a blaze of ruddy light, which streamed upon it when the clock proclaimed the hour; and which, being only light, was more alarming than a dozen ghosts, as he was powerless to make out what it meant, or would be at; and was sometimes apprehensive that he might be at that very moment an interesting case of spontaneous combustion, without having the consolation of knowing it. At last, however, he began to think – as you or I would have thought at first; for it is always the person not in the predicament who knows what ought to have been done in it, and would unquestionably have done it too – at last, I say, he began to think that the source and secret of this ghostly light might be in the adjoining room, from whence, on further tracing it, it seemed to shine. This idea taking full possession of his mind, he got up softly and shuffled in his slippers to the door.

The moment Scrooge's hand was on the lock, a strange voice called him by his name, and bade him enter. He obeyed. It was his own room. There was no doubt about that. But it had undergone a surprising transformation. The walls and ceiling were so hung

sto punto in nome di Scrooge, penso tuttavia di potervi invitare a credere che egli era preparato a una sfera molto vasta di strane apparizioni e che, da un neonato a un rinoceronte, niente poteva causargli una grande sorpresa.

Pertanto, essendo preparato in tal modo quasi a ogni cosa, non era affatto preparato a nulla; e per conseguenza, allorché la campana suonò l'una e nessuna forma apparve, fu preso da un tremito violento: passarono cinque minuti, dieci minuti, un quarto d'ora, eppure nulla venne. Durante tutto questo tempo, Scrooge giaceva nel letto, proprio nel centro di un fulgore rossastro che lo aveva inondato allorché l'orologio batté l'una; e questo, essendo luce e nient'altro, era più allarmante di una dozzina di spettri, poiché egli era incapace di capire che cosa significava o a che cosa mirava; a volte temeva persino di essere divenuto in quel momento stesso un caso interessante di combustione spontanea, senza avere neanche la consolazione di saperlo. Finalmente, però, cominciò a riflettere, come voi e io avremmo riflettuto fin da principio; giacché sono sempre quelli che non si trovano nelle circostanze difficili che sanno ciò che si sarebbe dovuto fare, e che certamente lo avrebbero fatto; e finalmente, dico, cominciò a pensare che la fonte e il segreto di quella luce spettrale doveva trovarsi nella stanza accanto, dalla quale, in base a un esame più accurato, sembrava provenire. Allorché quest'idea si fu pienamente impadronita del suo spirito, si alzò dolcemente e scivolò in pantofole verso la porta.

Nel momento in cui la mano di Scrooge si posò sulla maniglia, una voce strana lo chiamò per nome e gli disse di entrare. Obbedì.

Era proprio la sua stanza, non c'era dubbio, ma aveva subìto una trasformazione sorprendente. Le pareti

with living green, that it looked a perfect grove; from every part of which, bright gleaming berries glistened. The crisp leaves of holly, mistletoe, and ivy reflected back the light, as if so many little mirrors had been scattered there; and such a mighty blaze went roaring up the chimney, as that dull petrification of a hearth had never known in Scrooge's time, or Marley's, or for many and many a winter season gone.

Heaped up on the floor, to form a kind of throne, were turkeys, geese, game, poultry, brawn, great joints of meat, sucking-pigs, long wreaths of sausages, mince-pies, plum-puddings, barrels of oysters, red-hot chestnuts, cherry-cheeked apples, juicy oranges, luscious pears, immense twelfth-cakes, and seething bowls of punch, that made the chamber dim with their delicious steam. In easy state upon this couch, there sat a jolly Giant, glorious to see, who bore a glowing torch, in shape not unlike Plenty's horn, and held it up, high up, to shed its light on Scrooge, as he came peeping round the door.

«Come in» exclaimed the Ghost. «Come in, and know me better, man.»

Scrooge entered timidly, and hung his head before this Spirit. He was not the dogged Scrooge he had been; and though the Spirit's eyes were clear and kind, he did not like to meet them.

«I am the Ghost of Christmas Present» said the Spirit. «Look upon me!»

Scrooge reverently did so. It was clothed in one simple green robe, or mantle, bordered with white fur. This garment hung so loosely on the figure, that its capacious breast was bare, as if disdaining to be

e il soffitto erano talmente coperti di piante verdi, da
farli sembrare come una vera e propria spalliera, da
ogni punto della quale luccicavano bacche lucenti. Le
foglie dell'agrifoglio, del vischio e dell'edera rifletteva-
no la luce come tanti piccoli specchi e nel caminetto
ardeva un fuoco così potente, come quella triste pie-
trificazione di un focolare non aveva mai conosciuto
ai tempi di Scrooge e Marley né per molti e molti in-
verni passati. Ammucchiati sul pavimento, in modo
da formare una specie di trono, erano tacchini, oche,
selvaggina, pollame, cosciotti muscolosi, grandi pezzi
di carne, porcellini da latte, lunghe collane di salsicce,
pasticci di carne, *pudding*, barilotti di ostriche, castagne arrosto roventi, mele dalle guance di ciliegie,
arance succose, pere succulente, torte smisurate e cio-
tole fumanti di *punch*, che annebbiavano la stanza col
loro vapore delizioso. Seduto comodamente su questo
giaciglio era un allegro gigante, magnifico da vedere,
il quale teneva in mano una torcia ardente di forma simile a quella di una cornucopia e la teneva alta, molto
alta, in modo da farne cadere la luce su Scrooge, nel
momento in cui questi si affacciò alla porta per dare
un'occhiata intorno.

«Venite dentro,» esclamò lo Spettro «venite dentro
e fate la mia conoscenza.»

Scrooge entrò timidamente e chinò la testa davanti
a questo Spirito. Non era più il duro Scrooge di prima,
e per quanto gli occhi dello Spirito fossero chiari e be-
nevoli, non si sentiva di incontrarne lo sguardo.

«Io sono lo Spettro del Natale Presente» disse lo
Spirito. «Guardatemi!»

Scrooge lo guardò rispettosamente. Era vestito di
una semplice toga o mantello di color verde scuro, or-
lato di pelliccia bianca. Questa veste gli stava indosso
così sciolta che il suo ampio petto era nudo, come se
avesse sdegnato di essere custodito o celato da un arti-

warded or concealed by any artifice. Its feet, observable beneath the ample folds of the garment, were also bare; and on its head it wore no other covering than a holly wreath, set here and there with shining icicles. Its dark brown curls were long and free; free as its genial face, its sparkling eye, its open hand, its cheery voice, its unconstrained demeanour, and its joyful air. Girded round its middle was an antique scabbard; but no sword was in it, and the ancient sheath was eaten up with rust.

«You have never seen the like of me before» exclaimed the Spirit.

«Never» Scrooge made answer to it.

«Have never walked forth with the younger members of my family; meaning (for I am very young) my elder brothers born in these later years?» pursued the Phantom.

«I don't think I have» said Scrooge. «I am afraid I have not. Have you had many brothers, Spirit?»

«More than eighteen hundred» said the Ghost.

«A tremendous family to provide for» muttered Scrooge.

The Ghost of Christmas Present rose.

«Spirit,» said Scrooge submissively, «conduct me where you will. I went forth last night on compulsion, and I learnt a lesson which is working now. Tonight, if you have aught to teach me, let me profit by it.»

«Touch my robe.»

Scrooge did as he was told, and held it fast.

Holly, mistletoe, red berries, ivy, turkeys, geese, game, poultry, brawn, meat, pigs, sausages, oysters, pies, puddings, fruit, and punch, all vanished instantly. So did the room, the fire, the ruddy glow, the hour

fizio qualsiasi. I piedi, visibili sotto le ampie pieghe della veste, erano pure nudi; sulla testa non portava che una corona di agrifoglio, punteggiata qua e là da ghiaccioli lucenti. I ricci, d'un bruno scuro, erano lunghi e liberi, liberi come la sua faccia gioconda, il suo sguardo scintillante, le sue mani aperte, la sua voce allegra, il suo contegno scevro di ogni costrizione e il suo aspetto gioioso. Alla vita lo cingeva un fodero antico, ma dentro non c'era una spada, e quella vetusta guaina era divorata dalla ruggine.

«Non avete mai visto niente di simile a me prima d'ora!» esclamò lo Spirito.

«Mai» replicò Scrooge.

«Non siete mai andato in giro insieme ai membri più giovani della mia famiglia? Voglio dire, giacché sono molto giovane, ai miei fratelli maggiori nati in questi ultimi anni?» proseguì il Fantasma.

«Non credo di averlo fatto. Temo di non averlo fatto. Avete molti fratelli, Spirito?»

«Più di milleottocento» disse lo Spettro.

«Che famiglia tremenda da mantenere!» borbottò Scrooge.

Lo Spettro del Natale Presente si alzò in piedi.

«Spirito,» disse remissivamente Scrooge «conducetemi dove volete. La notte scorsa sono andato in giro perché vi sono stato costretto e ho ricevuto una lezione che comincia a dare i suoi frutti. Stanotte, se avete qualcosa da insegnarmi, lasciate che ne approfitti.»

«Toccate la mia veste.»

Scrooge fece come gli era stato detto e l'afferrò con forza.

L'agrifoglio, il vischio, le bacche rosse, l'edera, i tacchini, le oche, la selvaggina, il pollame, i cosciotti, la carne, i porcellini, le salsicce, le ostriche, i pasticci, i *pudding*, la frutta e il *punch*, tutto svanì immediatamente e così pure la stanza, il fuoco, il chiarore

of night, and they stood in the city streets on Christmas morning, where (for the weather was severe) the people made a rough, but brisk and not unpleasant kind of music, in scraping the snow from the pavement in front of their dwellings, and from the tops of their houses, whence it was mad delight to the boys to see it come plumping down into the road below, and splitting into artificial little snow-storms.

The house fronts looked black enough, and the windows blacker, contrasting with the smooth white sheet of snow upon the roofs, and with the dirtier snow upon the ground; which last deposit had been ploughed up in deep furrows by the heavy wheels of carts and wagons; furrows that crossed and recrossed each other hundreds of times where the great streets branched off; and made intricate channels, hard to trace in the thick yellow mud and icy water.

The sky was gloomy, and the shortest streets were choked up with a dingy mist, half thawed, half frozen, whose heavier particles descended in shower of sooty atoms, as if all the chimneys in Great Britain had, by one consent, caught fire, and were blazing away to their dear hearts' content. There was nothing very cheerful in the climate or the town, and yet was there an air of cheerfulness abroad that the clearest summer air and brightest summer sun might have endeavoured to diffuse in vain.

For, the people who were shovelling away on the housetops were jovial and full of glee; calling out to one another from the parapets, and now and then exchanging a facetious snowball – better-natured missile far than many a wordy jest – laughing heartily if it went right and not less heartily if it went wrong. The poulterers' shops were still half open, and the fruiterers' were radiant in their glory. There were great round, pot-bellied baskets of chestnuts,

rossastro, l'ora notturna. Si trovarono nelle vie della città, una mattina di Natale; e, poiché la temperatura era rigida, la gente faceva una specie di musica rude ma vivace e non del tutto sgradevole grattando via la neve dai marciapiedi dinanzi alle case e dai tetti, con gran divertimento dei bambini che stavano a guardarla cader giù nella strada sottostante e sparpagliarsi in tante piccole nevicate artificiali.

Le facciate delle case parevano nere e le finestre ancor più nere, in contrasto col bianco lenzuolo liscio della neve sui tetti e con la neve più sporca del terreno, la quale ultima era stata lavorata in solchi profondi dalle ruote pesanti di carri e carretti: solchi che si intersecavano centinaia di volte all'incrocio delle grandi strade, e formavano, nella spessa mota giallastra e nell'acqua gelida, canali intricati e difficili da seguire. Il cielo era scuro e le strade più corte erano occupate da una nebbia sporca, mezza gelata e mezza no, le cui particelle più pesanti scendevano giù come una doccia di atomi fuligginosi, quasi che tutti i camini della Gran Bretagna avessero preso fuoco di comune accordo e stessero spensieratamente bruciando. Né il clima né la città avevano nulla di particolarmente allegro; eppure c'era tutt'intorno un'aria di allegria, quale la più chiara atmosfera estiva e il più fulgido sole estivo avrebbero tentato invano di diffondere.

Infatti la gente, che stava spalando la neve dai tetti delle case, era gioviale e piena di brio; si chiamavano l'un l'altro dai parapetti e, di tanto in tanto, si scambiavano una scherzosa palla di neve, che è un proiettile molto più inoffensivo di molte facezie verbali, ridendo cordialmente se raggiungeva il bersaglio e non meno cordialmente se lo mancava. Le botteghe dei pollaioli erano ancora mezzo aperte e quelle dei fruttaioli erano radiose di gloria. C'erano grandi ceste rotonde e panciute di castagne che avevano la forma di

shaped like the waistcoats of jolly old gentlemen, lolling at the doors, and tumbling out into the street in their apoplectic opulence. There were ruddy, brown-faced, broad-girthed Spanish Friars, and winking from their shelves in wanton slyness at the girls as they went by, and glanced demurely at the hung-up mistletoe. There were pears and apples, clustered high in blooming pyramids; there were bunches of grapes, made, in the shopkeepers' benevolence to dangle from conspicuous hooks, that people's mouths might water gratis as they passed; there were piles of filberts, mossy and brown, recalling, in their fragrance, ancient walks among the woods, and pleasant shufflings ankle deep through withered leaves; there were Norfolk Biffins, squab and swarthy, setting off the yellow of the oranges and lemons, and, in the great compactness of their juicy persons, urgently entreating and beseeching to be carried home in paper bags and eaten after dinner. The very gold and silver fish, set forth among these choice fruits in a bowl, though members of a dull and stagnant-blooded race, appeared to know that there was something going on; and, to a fish, went gasping round and round their little world in slow and passionless excitement.

The Grocers'! Oh the Grocers'! Nearly closed, with perhaps two shutters down, or one; but through those gaps such glimpses! It was not alone that the scales descending on the counter made a merry sound, or that the twine and roller parted company so briskly, or that the canisters were rattled up and down like juggling tricks, or even that the blended scents of tea and coffee were so grateful to the nose, or even

panciotti di vecchi signori gioviali, che si affacciano
alla porta e precipitano fuori in strada con tutta la loro apoplettica opulenza; c'erano cipolle di Spagna
rossicce, dalla faccia bruna e dall'ampia cintura, che
nella loro grassezza splendevano come frati spagnoli
e che dalla loro cassetta ammiccavano maliziosamen-
te alle ragazze che passavano dando un'occhiata fur-
tiva al vischio appeso; c'erano pere e mele ammuc-
chiate in alte e floride piramidi; c'erano grappoli
d'uva che la benevolenza dei bottegai faceva penzola-
re da ganci bene in vista affinché alla gente che passa-
va potesse venir gratis l'acquolina in bocca; c'erano
mucchi di nocciole muscose e brune, che nella loro
fragranza ricordavano vecchie passeggiate nei boschi
e il piacevole affondar delle caviglie nelle foglie sec-
che; c'erano mele cotogne, brune come la ruggine,
che facevano sembrar pallido il giallo delle arance e
dei limoni e che, nella grande compattezza delle loro
succose persone, supplicavano e scongiuravano ur-
gentemente di esser portate a casa in sacchetti di carta e mangiate alla fine del pranzo. Perfino i pesciolini
d'oro e d'argento, collocati in un vaso in mezzo a questi frutti, per quanto appartenenti a una razza poco
espansiva e dal sangue stagnante, pareva che sapesse-
ro che stava accadendo qualcosa, e andavano in giro a
bocca aperta, tutti quanti, attorno al loro piccolo
mondo, con una eccitazione lenta e senza passione.

Le drogherie! Oh, le drogherie! Quasi chiuse, magari con una o due serrande già calate, ma che spettacolo quelle aperture! Non solo perché le bilance
calando sul banco davano un suono allegro, o lo spa-
go e i rotoli di carta da involgere si separavano l'uno
dall'altro tanto vivacemente, o i barattoli venivano tirati su e giù come oggetti lanciati e ripresi da un gio-
coliere; o perché il miscuglio di odori del tè e del
caffè era così gradevole alle narici, o l'uva passa così

that the raisins were so plentiful and rare, the almonds so extremely white, the sticks of cinnamon so long and straight, the other spices so delicious, the candied fruits so caked and spotted with molten sugar as to make the coldest lookers-on feel faint and subsequently bilious. Nor was it that the figs were moist and pulpy, or that the French plums blushed in modest tartness from their highly-decorated boxes, or that everything was good to eat and in its Christmas dress; but the customers were all so hurried and so eager in the hopeful promise of the day, that they tumbled up against each other at the door, crashing their wicker baskets wildly, and left their purchases upon the counter, and came running back to fetch them, and committed hundreds of the like mistakes, in the best humour possible; while the Grocer and his people were so frank and fresh that the polished hearts with which they fastened their aprons behind might have been their own, worn outside for general inspection, and for Christmas daws to peck at if they chose.

But soon the steeples called good people all, to church and chapel, and away they came, flocking through the streets in their best clothes, and with their gayest faces. And at the same time there emerged from scores of bye-streets, lanes, and nameless turnings, innumerable people, carrying their dinners to the baker' shops. The sight of these poor revellers appeared to interest the Spirit very much, for he stood with Scrooge beside him in a baker's doorway, and taking off the covers as their bearers passed, sprinkled incense on their dinners from his

abbondante e preziosa, le mandorle di una così estrema bianchezza, i bastoncini di cannella così lunghi e diritti, le altre spezie così deliziose, i frutti canditi così ben preparati nel loro rivestimento di zucchero fuso da render famelici anche i più indifferenti tra coloro che li guardavano; e neppure perché i fichi erano umidi e polposi o le prugne francesi arrossivano quasi per modestia nelle loro scatole ben decorate, e perché tutto nella sua veste natalizia appariva così buono da mangiare. Ma i clienti erano tutti così frettolosi e così impazienti per le promesse piene di speranza della giornata, che si urtavano l'un l'altro alla porta, schiacciando l'uno contro l'altro i loro panieri di vimini, dimenticavano i loro acquisti sul banco e poi tornavano indietro di corsa a riprenderli, e commettevano centinaia di errori di questo genere, col miglior umore che si possa immaginare, mentre il droghiere e i suoi commessi erano così franchi e cordiali che i cuori ben lucidati, che servivano da fermagli ai loro camici, avrebbero potuto essere i loro stessi cuori portati all'aperto affinché potessero esser visti da tutti e le cornacchie di Natale potessero beccarli se lo desideravano.

Ma ben tosto le campane chiamarono tutta quella brava gente in chiesa e tutti se ne andarono, affollando le strade, vestiti a festa e con le facce allegre: e al momento stesso, da una ventina di vicoli, di stradette e di angoli senza nome, venne fuori una gran quantità di gente che portava il pranzo a cuocere nelle botteghe dei fornai. La vista di questa povera gente in festa parve interessare moltissimo lo Spirito, giacché egli, con Scrooge al suo fianco, si collocò sulla porta di un forno e, sollevando i coperchi a mano a mano che passavano quelli che li portavano, spruzzò sul loro pranzo qualche goccia di incenso dalla sua torcia, la quale era una torcia di un genere molto straordinario,

torch. And it was a very uncommon kind of torch, for once or twice when there were angry words between some dinner-carriers who had jostled each other, he shed a few drops of water on them from it, and their good humour was restored directly. For they said, it was a shame to quarrel upon Christmas Day. And so it was. God love it, so it was.

In time the bells ceased, and the bakers were shut up; and yet there was a genial shadowing forth of all these dinners and the progress of their cooking, in the thawed blotch of wet above each baker's oven; where the pavement smoked as if its stones were cooking too.

«Is there a peculiar flavour in what you sprinkle from your torch?» asked Scrooge.

«There is. My own.»

«Would it apply to any kind of dinner on this day?» asked Scrooge.

«To any kindly given. To a poor one most.»

«Why to a poor one most?» asked Scrooge.

«Because it needs it most.»

«Spirit,» said Scrooge, after a moment's thought «I wonder you, of all the beings in the many worlds about us, should desire to cramp these people's opportunities of innocent enjoyment.»

«I!» cried the Spirit.

«You would deprive them of their means of dining every seventh day, often the only day on which they can be said to dine at all» said Scrooge. «Wouldn't you?»

«I!» cried the Spirit.

«You seek to close these places on the Seventh Day» said Scrooge. «And it comes to the same thing.»

giacché un paio di volte, quando ci fu uno scambio di parole aspre fra alcuni di questi portatori di pranzi, che si erano urtati reciprocamente, ne fece cadere qualche goccia su loro e il loro buon umore si ristabilì immediatamente. Essi stessi dissero che dopo tutto era una vergogna litigare il giorno di Natale; e così era, Dio lo sa che era così.

All'ora giusta, le campane tacquero e i negozi dei fornai vennero chiusi, eppure nella macchia di umidità sopra ciascun forno, dove la muratura fumava come se anche le pietre stessero cuocendo, si poteva seguire il gaio progresso di tutti quei pranzi e della loro cottura.

«C'è un profumo particolare in quelle gocce che lasciate cadere dalla torcia?» chiese Scrooge.

«Certamente. Il mio.»

«E andrebbe bene per qualsiasi tipo di pranzo, oggi?» chiese Scrooge.

«Per qualunque pranzo, purché sia offerto di cuore; ma soprattutto per un povero.»

«Perché soprattutto per un povero?» chiese Scrooge.

«Perché ne ha maggior bisogno!»

«Spirito» disse Scrooge, dopo aver riflettuto un momento. «Non riesco a capire perché fra tutti gli esseri che vivono nei molti mondi che ci circondano, siate proprio voi a desiderare di limitare le occasioni che ha questa povera gente di divertirsi in un modo innocente.»

«Io!» esclamò lo Spirito.

«Voi vorreste privarli della possibilità di pranzare ogni settimo giorno, che è spesso l'unico giorno nel quale si può dire che pranzino davvero» disse Scrooge. «Non è forse così?»

«Io!» esclamò lo Spirito.

«Voi cercate di tener chiusi questi posti il settimo giorno» disse Scrooge «e il risultato è lo stesso.»

«*I* seek» exclaimed the Spirit.

«Forgive me if I am wrong. It has been done in your name, or at least in that of your family» said Scrooge.

«There are some upon this earth of yours» returned the Spirit, «who lay claim to know us, and who do their deeds of passion, pride, ill-will, hatred, envy, bigotry, and selfishness in our name, who are as strange to us and all our kith and kin, as if they had never lived. Remember that, and charge their doings on themselves, not us.»

Scrooge promised that he would; and they went on, invisible, as they had been before, into the suburbs of the town. It was a remarkable quality of the Ghost (which Scrooge had observed at the baker's), that notwithstanding his gigantic size, he could accommodate himself to any place with ease; and that he stood beneath a low roof quite as gracefully and like a supernatural creature, as it was possible he could have done in any lofty hall.

And perhaps it was the pleasure the good Spirit had in showing off this power of his, or else it was his own kind, generous, hearty nature, and his sympathy with all poor men, that led him straight to Scrooge's clerk's; for there he went, and took Scrooge with him, holding to his robe; and on the threshold of the door the Spirit smiled, and stopped to bless Bob Cratchit's dwelling with the sprinkling of his torch. Think of that! Bob had but fifteen "Bob" a week himself; he pocketed on Saturdays but fifteen copies of his Christian name; and yet the Ghost of Christmas Present blessed his four-roomed house!

Then up rose Mrs Cratchit, Cratchit's wife, dressed out but poorly in a twice-turned gown, but brave

«*Io* cerco di tenerli chiusi!» esclamò lo Spirito.

«Perdonatemi se ho torto, ma questo è stato fatto in nome vostro, o almeno in nome della vostra famiglia» disse Scrooge.

«C'è della gente su questa vostra terra» replicò lo Spirito «che pretende di conoscerci e che compie in nostro nome i suoi atti di passione, di superbia, di malevolenza, di odio, di invidia, di bigotteria e di egoismo, la quale, da noi e da tutta la nostra schiatta, è altrettanto lontana quanto sarebbe se non avesse mai vissuto. Tenete a mente questo, e imputate i loro atti a loro e non a noi.»

Scrooge promise che avrebbe fatto così e ambedue proseguirono il loro cammino, invisibili, come prima, verso i sobborghi della città. Una qualità notevole dello Spirito, che Scrooge aveva constatato dal fornaio, era che, nonostante la sua statura gigantesca, poteva adattarsi con facilità in qualsiasi posto e stava in piedi sotto un soffitto basso con altrettanta grazia e in modo così degno di una creatura soprannaturale, come avrebbe potuto fare nel più spazioso dei saloni.

E fu forse il piacere che quello Spirito buono provava nel fare sfoggio di questo suo potere, oppure la sua stessa natura benevola, generosa, cordiale e la simpatia che nutriva per tutti i poveri a condurlo direttamente a casa dell'impiegato di Scrooge. Giacché fu proprio là che si diresse, conducendo con sé Scrooge, attaccato alla sua veste, e sulla soglia della porta dell'impiegato sorrise e si fermò per benedire la casa di Bob Cratchit con le gocce della sua torcia. Pensate un momento! Bob non aveva che quindici scellini alla settimana, eppure lo Spettro del Natale Presente benedisse la sua casa di quattro stanze!

In quel momento si alzò in piedi la signora Cratchit, la moglie di Cratchit, tutta rivestita, sia pur poveramente, in un vestito rivoltato due volte, ma che si rive-

in ribbons, which are cheap and make a goodly show for sixpence; and she laid the cloth, assisted by Belinda Cratchit, second of her daughters, also brave in ribbons; while Master Peter Cratchit plunged a fork into the saucepan of potatoes, and getting the corners of his monstrous shirt collar (Bob's private property, conferred upon his son and heir in honour of the day) into his mouth, rejoiced to find himself so gallantly attired, and yearned to show his linen in the fashionable Parks. And now two smaller Cratchits, boy and girl, came tearing in, screaming that outside the baker's they had smelt the goose, and known it for their own; and basking in luxurious thoughts of sage and onion, these young Cratchits danced about the table, and exalted Master Peter Cratchit to the skies, while he (not proud, although his collars nearly choked him) blew the fire, until the slow potatoes bubbling up, knocked loudly at the saucepan-lid to be let out and peeled.

«What has ever got your precious father then» said Mrs Cratchit. «And your brother, Tiny Tim. And Martha warn't as late last Christmas Day by half-an-hour!»

«Here's Martha, mother» said a girl, appearing as she spoke.

«Here's Martha, mother» cried the two young Cratchits. «Hurrah. There's *such* a goose, Martha!»

«Why, bless your heart alive, my dear, how late you are!» said Mrs Cratchit, kissing her a dozen times, and taking off her shawl and bonnet for her with officious zeal.

«We'd a deal of work to finish up last night,» replied the girl «and had to clear away this morning, mother.»

lava pieno di coraggio per i suoi nastri, i quali costano poco e per mezzo scellino fanno una magnifica figura, e cominciò ad apparecchiare la tavola, assistita da Belinda Cratchit, seconda delle sue figlie, anch'essa molto coraggiosa in fatto di nastri; mentre il signorino Peter Cratchit affondava una forchetta nella pentola delle patate e, ficcandosi in bocca gli angoli del suo mostruoso colletto (proprietà privata di Bob, trasferita a suo figlio ed erede in onore della giornata), si compiaceva di trovarsi così elegantemente abbigliato e moriva dalla voglia di esibire la sua biancheria nei giardini pubblici più eleganti. E ora due Cratchit più piccoli, un maschio e una femmina, entrarono di corsa, gridando che nel passare davanti alla porta del fornaio avevano sentito l'odore dell'oca e avevano riconosciuto che era la loro; e quei giovani Cratchit, tutti eccitati all'idea voluttuosa della salvia e delle cipolle, si misero a ballare intorno al tavolo e a esaltare fino al cielo il signorino Peter Cratchit, mentre questi, senza darsi delle arie sebbene il colletto lo stesse quasi strozzando, soffiava sul fuoco finché quelle pigre patate, con un gorgoglio, cominciarono a bussare contro il coperchio della pentola per chiedere di esser tirate fuori e sbucciate.

«Ma che cosa è mai successo a quel bel tipo di vostro padre?» disse la signora Cratchit. «E a vostro fratello Tim il Piccolino? E Marta non era in ritardo di mezz'ora anche il Natale passato?»

«Ecco Marta, mamma!» gridarono i due giovani Cratchit. «Urrà! Marta, se tu vedessi che oca!»

«Mio Dio, cara, come sei in ritardo!» disse la signora Cratchit, baciandola una dozzina di volte e togliendole lo scialle e il berretto con uno zelo straordinario.

«Abbiamo avuto molto lavoro da terminare ieri sera» replicò la ragazza «e stamane abbiamo dovuto rimettere tutto in ordine.»

«Well. Never mind so long as you are come,» said Mrs Cratchit. «Sit ye down before the fire, my dear, and have a warm, Lord bless ye.»

«No, no! There's father coming,» cried the two young Cratchits, who were everywhere at once.

«Hide, Martha, hide!»

So Martha hid herself, and in came little Bob, the father, with at least three feet of comforter exclusive of the fringe, hanging down before him; and his threadbare clothes darned up and brushed, to look seasonable; and Tiny Tim upon his shoulder. Alas for Tiny Tim, he bore a little crutch, and had his limbs supported by an iron frame.

«Why, where's our Martha?» cried Bob Cratchit, looking round.

«Not coming» said Mrs Cratchit.

«Not coming!» said Bob, with a sudden declension in his high spirits; for he had been Tim's blood horse all the way from church, and had come home rampant. «Not coming upon Christmas Day!»

Martha didn't like to see him disappointed, if it were only in joke; so she came out prematurely from behind the closet door, and ran into his arms, while the two young Cratchits hustled Tiny Tim, and bore him off into the wash-house, that he might hear the pudding singing in the copper.

«And how did little Tim behave?» asked Mrs Cratchit, when she had rallied Bob on his credulity, and Bob had hugged his daughter to his heart's content.

«As good as gold,» said Bob, «and better. Somehow he gets thoughtful, sitting by himself so much, and thinks the strangest things you ever heard. He told me, coming home, that he hoped the people saw him

«Va bene. Non importa, dal momento che sei arrivata» disse la signora Cratchit. «Siediti davanti al fuoco, e riscaldati.»

«Mamma, mamma, c'è papà che arriva» gridarono i due giovani Cratchit, che sembravano essere dappertutto. «Nasconditi, Marta, nasconditi!»

Così Marta si nascose ed entrò il piccolo Bob, il padre, con almeno tre piedi di sciarpa, senza contare la frangia, che gli pendevano davanti e i suoi vestiti logori, rammendati e spazzolati che sembravano nuovi, e Tim il Piccolino sulle spalle. Povero Tim il Piccolino, portava una piccola stampella e aveva le membra sostenute da un'armatura di ferro.

«Come, non c'è Marta?» esclamò Bob Cratchit, dando un'occhiata in giro.

«Non viene» disse la signora Cratchit.

«Non viene?!» disse Bob, con un subitaneo crollo dell'allegria che gli aveva fatto portare Tim a cavalluccio per tutta la strada dalla chiesa e lo aveva fatto entrare in casa a quattro zampe.

«Non viene, il giorno di Natale?»

Marta non aveva nessuna voglia di vederlo deluso, neppure per scherzo, e pertanto uscì prematuramente di dietro la porta dell'armadio e gli corse tra le braccia, mentre i due giovani Cratchit si impadronivano di Tim il Piccolino e lo trasportavano vicino alla caldaia del bucato perché potesse sentire il *pudding* cantare dentro il rame.

«Come si è comportato Tim?» chiese la signora Cratchit, dopo essersi burlata di Bob per la sua credulità e dopo che Bob si fu saziato di tenersi stretta la figlia.

«Buono come l'oro» disse Bob «e anche più buono. Qualche volta si mette a pensare, giacché passa tanto tempo a sedere solo solo, e pensa le cose più strane che si possano immaginare. Tornando a casa,

in the church, because he was a cripple, and it might be pleasant to them to remember upon Christmas Day, who made lame beggars walk, and blind men see.»

Bob's voice was tremulous when he told them this, and trembled more when he said that Tiny Tim was growing strong and hearty.

His active little crutch was heard upon the floor, and back came Tiny Tim before another word was spoken, escorted by his brother and sister to his stool before the fire; and while Bob, turning up his cuffs – as if, poor fellow, they were capable of being made more shabby – compounded some hot mixture in a jug with gin and lemons, and stirred it round and round and put it on the hob to simmer; Master Peter, and the two ubiquitous young Cratchits went to fetch the goose, with which they soon returned in high procession.

Such a bustle ensued that you might have thought a goose the rarest of all birds; a feathered phenomenon, to which a black swan was a matter of course – and in truth it was something very like it in that house. Mrs Cratchit made the gravy (ready beforehand in a little saucepan) hissing hot; Master Peter mashed the potatoes with incredible vigour; Miss Belinda sweetened up the apple-sauce; Martha dusted the hot plates; Bob took Tiny Tim beside him in a tiny corner at the table; the two young Cratchits set chairs for everybody, not forgetting themselves, and mounting guard upon their posts, crammed spoons into their mouths, lest they should shriek for goose before their turn came to be helped. At last the dishes were set on, and grace was said. It was succeeded

mi ha detto che sperava che la gente lo avesse visto in chiesa, perché era storpio e per loro poteva essere un piacere ricordarsi nel giorno di Natale di Colui che fece camminare gli storpi e vedere i ciechi.»

Nel dire queste parole, la voce di Bob tremava e si mise a tremare ancor più quando disse che Tim il Piccolino stava facendosi forte e coraggioso.

Si udì sul pavimento il rumore della sua piccola stampella, e Tim il Piccolino tornò indietro prima che fosse stata detta un'altra parola, scortato dal fratello e dalla sorella fino al suo panchetto accanto al fuoco; e mentre Bob, rivoltandosi i polsini, come se – povero disgraziato – questi fossero stati capaci di apparire più consunti, preparò in una brocca di terraglia una mistura calda con *gin* e limone e si mise a rimescolarla, poi la collocò sulla piastra di metallo del focolare per riscaldarla. Il signorino Peter e i due giovani Cratchit, che avevano il dono dell'ubiquità, andarono a cercare l'oca con la quale furono ben presto di ritorno in una solenne processione.

Lo schiamazzo che ne seguì fu tale che si sarebbe potuto credere che un'oca fosse il più raro di tutti gli uccelli, un fenomeno pennuto, in confronto al quale un cigno nero era cosa di tutti i giorni; e in realtà in quella casa era qualcosa di molto simile. La signora Cratchit rese calda e fumante la salsa già preparata prima in una piccola salsiera; il signorino Peter schiacciò le patate con un vigore incredibile; la signorina Belinda inzuccherò la salsa di mele; Marta spolverò i piatti caldi; Bob collocò accanto a sé Tim il Piccolino, in un angoletto della tavola; i due giovani Cratchit piazzarono le sedie per tutti quanti senza dimenticare se stessi e, montando la guardia ai propri posti, si ficcarono in bocca i cucchiai per trattenersi dal gridare per chiedere l'oca prima che venisse il loro turno di esser serviti. Finalmente vennero messi in tavola i piatti e fu detta la preghiera. A

by a breathless pause, as Mrs Cratchit, looking slowly all along the carving-knife, prepared to plunge it in the breast; but when she did, and when the long expected gush of stuffing issued forth, one murmur of delight arose all round the board, and even Tiny Tim, excited by the two young Cratchits, beat on the table with the handle of his knife, and feebly cried Hurrah.

There never was such a goose. Bob said he didn't believe there ever was such a goose cooked. Its tenderness and flavour, size and cheapness, were the themes of universal admiration. Eked out by applesauce and mashed potatoes, it was a sufficient dinner for the whole family; indeed, as Mrs Cratchit said with great delight (surveying one small atom of a bone upon the dish), they hadn't ate it all at last. Yet every one had had enough, and the youngest Cratchits in particular, were steeped in sage and onion to the eyebrows. But now, the plates being changed by Miss Belinda, Mrs Cratchit left the room alone – too nervous to bear witnesses – to take the pudding up and bring it in.

Suppose it should not be done enough. Suppose it should break in turning out. Suppose somebody should have got over the wall of the back-yard, and stolen it, while they were merry with the goose – a supposition at which the two young Cratchits became livid. All sorts of horrors were supposed.

Hallo! A great deal of steam! The pudding was out of the copper.

A smell like a washing-day. That was the cloth. A smell like an eating-house and a pastrycook's next door to each other, with a laundress's next door to

questa tenne dietro una pausa, durante la quale tutti trattennero il respiro, mentre la signora Cratchit, dopo aver dato un'occhiata al coltello da scalco, si preparò ad affondarlo nel petto. Ma quando lo fece, e ne uscì fuori il profumo lungamente atteso del ripieno, tutt'intorno alla tavola si levò un mormorio di gioia e perfino Tim il Piccolino, incitato dai due giovani Cratchit, si mise a battere sulla tavola col manico del coltello e gridò debolmente «urrà».

Un'oca simile non era mai esistita. Bob disse che non credeva che un'oca come quella fosse mai stata cotta. La sua morbidezza, il suo profumo, le sue dimensioni e il suo modico prezzo divennero i temi dell'ammirazione universale. Circondata dalla salsa di mele e dal purè di patate, costituiva un pranzo sufficiente per tutta la famiglia, anzi, come disse con gran gioia la signora Cratchit, osservando un pezzettino di osso che era rimasto sul vassoio, non erano nemmeno riusciti a mangiarla tutta, benché ciascuno ne avesse avuto a sufficienza, e i giovani Cratchit, in specie, fossero pieni fino agli occhi di salvia e di cipolle. Ora però, dopo che la signorina Belinda ebbe cambiato i piatti, la signora Cratchit, troppo nervosa per tollerare la presenza dei testimoni, uscì sola dalla stanza per scodellare il *pudding* e portarlo in tavola.

E se non fosse stato cotto abbastanza? Se si fosse rotto nel rovesciarlo? Se qualcuno si fosse arrampicato sul muro del cortile e lo avesse rubato mentre loro stavano mangiandosi l'oca? Supposizioni che fecero diventar lividi i due giovani Cratchit! Ogni sorta di errori viene immaginata.

Hallo! Una gran quantità di vapore, ciò che significava che il *pudding* era stato tirato fuori dalla casseruola.

Un odore di bucato proveniva dal tovagliolo. Un profumo come di una trattoria e di una pasticceria collocate porta a porta, con una lavanderia all'uscio

that. That was the pudding. In half a minute Mrs Cratchit entered – flushed, but smiling proudly – with the pudding, like a speckled cannon-ball, so hard and firm, blazing in half of half-a-quartern of ignited brandy, and bedight with Christmas holly stuck into the top.

Oh, a wonderful pudding! Bob Cratchit said, and calmly too, that he regarded it as the greatest success achieved by Mrs Cratchit since their marriage. Mrs Cratchit said that now the weight was off her mind, she would confess she had had her doubts about the quantity of flour. Everybody had something to say about it, but nobody said or thought it was at all a small pudding for a large family. It would have been flat heresy to do so. Any Cratchit would have blushed to hint at such a thing.

At last the dinner was all done, the cloth was cleared, the hearth swept, and the fire made up.

The compound in the jug being tasted, and considered perfect, apples and oranges were put upon the table, and a shovel-full of chestnuts on the fire. Then all the Cratchit family drew round the hearth, in what Bob Cratchit called a circle, meaning half a one; and at Bob Cratchit's elbow stood the family display of glass. Two tumblers, and a custard-cup without a handle.

These held the hot stuff from the jug, however, as well as golden goblets would have done; and Bob served it out with beaming looks, while the chestnuts on the fire sputtered and cracked noisily. Then Bob proposed: «A Merry Christmas to us all, my dears. God bless us!».

immediatamente seguente; e questo era il *pudding*. E in mezzo minuto entrò la signora Cratchit, tutta rossa in faccia, ma con un sorriso di orgoglio; col budino che pareva una palla di cannone, tanto era duro e saldo, che ardeva in un ottavo di litro di acquavite incendiata, ed era ornato di un ramoscello di agrifoglio natalizio infilato in cima.

Oh, che meraviglioso budino! Bob Cratchit disse, con perfetta tranquillità, che lo considerava come il più grande successo realizzato dalla signora Cratchit dal giorno del loro matrimonio in poi. La signora disse che, ora che non aveva più quel peso sulla coscienza, confessava di aver avuto qualche dubbio circa la quantità della farina. Ognuno aveva qualcosa da dire, ma nessuno disse o pensò che era un budino piccolo per una famiglia grande. Averlo detto sarebbe stata un'aperta eresia e ciascuno dei Cratchit sarebbe arrossito se avesse fatto un simile accenno.

Finalmente il pranzo giunse alla conclusione, la tavola venne sparecchiata, il focolare spazzato e il fuoco acceso. La composizione nella brocca venne assaggiata e giudicata perfetta. Mele e arance furono collocate sulla tavola e una manciata di castagne sul fuoco. Tutta la famiglia Cratchit si strinse attorno al focolare, formando quello che Bob Cratchit chiamava un circolo, mentre era soltanto la metà di uno. A portata di mano di Bob Cratchit si trovava tutta la disponibilità di vasellame della famiglia, cioè due bicchieri e un vasetto da crema senza manico.

Però, anche questi erano buoni a contenere quella roba calda della brocca, non meno che se fossero stati bicchieri d'oro. Bob la distribuì con un'espressione raggiante, mentre le castagne sul fuoco scoppiettavano rumorosamente. A questo punto, Bob propose un brindisi: «Buon Natale a noi tutti, miei cari. Dio ci benedica!»

Which all the family re-echoed.

«God bless us every one» said Tiny Tim, the last of all.

He sat very close to his father's side upon his little stool. Bob held his withered little hand in his, as if he loved the child, and wished to keep him by his side, and dreaded that he might be taken from him.

«Spirit,» said Scrooge, with an interest he had never felt before, «tell me if Tiny Tim will live.»

«I see a vacant seat,» replied the Ghost, «in the poor chimney-corner, and a crutch without an owner, carefully preserved. If these shadows remain unaltered by the Future, the child will die.»

«No, no» said Scrooge. «Oh, no, kind Spirit! Say he will be spared.»

«If these shadows remain unaltered by the Future, none other of my race,» returned the Ghost, «will find him here. What then? If he be like to die, he had better do it, and decrease the surplus population.» Scrooge hung his head to hear his own words quoted by the Spirit, and was overcome with penitence and grief.

«Man,» said the Ghost, «if man you be in heart, not adamant, forbear that wicked cant until you have discovered What the surplus is, and Where it is. Will you decide what men shall live, what men shall die? It may be, that in the sight of Heaven, you are more worthless and less fit to live than millions like this poor man's child. Oh God! To hear the Insect on the leaf pronouncing on the too much life among his hungry brothers in the dust!»

Scrooge bent before the Ghost's rebuke, and trembling cast his eyes upon the ground. But he raised them speedily, on hearing his own name.

Al che tutta la famiglia fece eco.

«Dio ci benedica, ciascuno di noi!» disse Tim il Piccolino, ultimo di tutti.

Stava seduto sul suo panchetto vicinissimo a suo padre, e Bob teneva nella propria la sua esile manina, come se avesse amato quel bambino, desiderato tenerselo accanto e temuto che potessero portarglielo via.

«Spirito,» disse Scrooge, con un interessamento che non aveva mai provato prima di allora «ditemi se Tim il Piccolino vivrà.»

«Vedo una sedia vuota» replicò lo Spirito «nell'angolo di quel misero caminetto e una gruccia senza proprietario, conservata con ogni cura. Se queste ombre rimangono inalterate nel futuro il bimbo morirà.»

«No, no» disse Scrooge. «Oh no, Spirito buono. Ditemi che sarà risparmiato.»

«Se queste ombre rimangono inalterate nel futuro, nessun altro della mia razza» replicò lo Spirito «lo troverà più qui. Ma che importa? Se deve morire, è meglio che muoia e faccia diminuire l'eccesso di popolazione.» Nel sentire lo Spirito citare le sue stesse parole, Scrooge chinò la testa e si sentì schiacciato dal pentimento e dal rimorso.

«Uomo,» disse lo Spirito «se di cuore siete un uomo e non un diamante, lasciate andare codeste frasi ipocrite e malvage finché non avrete scoperto che cosa è l'eccedenza e dove è. Tocca forse a voi decidere quali uomini debbono vivere e quali morire? È possibile che agli occhi del cielo voi siate più indegno e meno adatto a vivere di milioni di persone come il figlio di questo pover'uomo. Buon Dio! È possibile che l'insetto pronunci un giudizio sulla vita eccessiva dei suoi fratelli affamati che stanno nella polvere!»

Scrooge si curvò dinanzi al rimprovero dello Spirito e guardò a terra tremando; ma alzò rapidamente gli occhi sentendo pronunciare il suo nome.

«Mr Scrooge» said Bob. «I'll give you Mr Scrooge, the Founder of the Feast!.»

«The Founder of the Feast indeed» cried Mrs Cratchit, reddening. «I wish I had him here. I'd give him a piece of my mind to feast upon, and I hope he'd have a good appetite for it.»

«My dear,» said Bob, «the children. Christmas Day.»

«It should be Christmas Day, I am sure,» said she «on which one drinks the health of such an odious, stingy, hard, unfeeling man as Mr Scrooge. You know he is, Robert. Nobody knows it better than you do, poor fellow.»

«My dear,» was Bob's mild answer, «Christmas Day.»

«I'll drink his health for your sake and the Day's,» said Mrs Cratchit, «not for his. Long life to him. A merry Christmas and a happy new year. He'll be very merry and very happy, I have no doubt.»

The children drank the toast after her. It was the first of their proceedings which had no heartiness. Tiny Tim drank it last of all, but he didn't care twopence for it. Scrooge was the Ogre of the family. The mention of his name cast a dark shadow on the party, which was not dispelled for full five minutes.

After it had passed away, they were ten times merrier than before, from the mere relief of Scrooge the Baleful being done with. Bob Cratchit told them how he had a situation in his eye for Master Peter, which would bring in, if obtained, full five-and-sixpence weekly. The two young Cratchits laughed tremendously at the idea of Peter's being a man of business; and Peter himself looked thoughtfully at the fire from between his collars, as if he were deliberating what particular investments he should favour when

«Al signor Scrooge» disse Bob. «Bevete alla salute del signor Scrooge, fondatore della festa!»

«Fondatore della festa davvero» gridò la signora Cratchit, facendosi tutta rossa in faccia. «Vorrei che fosse qui. Gli darei da gustare quel che penso di lui e spero che se lo godrebbe con buon appetito.»

«Ma, cara,» disse Bob «ci sono i bambini: è Natale.»

«Deve proprio essere il giorno di Natale,» disse lei «quello nel quale si beve alla salute di un uomo odioso, avaro, duro, insensibile come il signor Scrooge. Robert, tu sai che è così; nessuno lo sa meglio di te, povero figliolo!»

«Ma, cara,» fu la risposta di Bob «è Natale!»

«Berrò alla sua salute per amor tuo e per amore del Natale,» disse la signora Cratchit «ma non certo per amor suo. Dio gli dia lunga vita! Buon Natale e buon anno! Son sicura che sarà molto allegro e molto felice.»

I bambini bevvero dopo di lei e quel brindisi fu il primo di tutti i procedimenti nel quale il cuore non c'era. Tim il Piccolino bevve per ultimo, ma senza darci neppure un pensiero. Scrooge era l'orco della famiglia e la menzione del suo nome gettò sulla festa un'ombra scura, che non si disperse per cinque buoni minuti.

Dopo che quell'ombra fu dissipata, tutti furono dieci volte più allegri di prima per il semplice sollievo che l'argomento Scrooge il Malefico fosse esaurito. Bob Cratchit disse loro che aveva in vista un posto per il signorino Peter, il quale, se l'otteneva, avrebbe reso non meno di cinque scellini e mezzo alla settimana. L'idea di Peter entrato in affari fece ridere tremendamente i due giovani Cratchit; e lo stesso Peter, da dietro il suo colletto, guardò pensieroso il fuoco, come se stesse meditando sugli investimenti che avrebbe prescelto quando avesse incominciato a

he came into the receipt of that bewildering income. Martha, who was a poor apprentice at a milliner's, then told them what kind of work she had to do, and how many hours she worked at a stretch, and how she meant to lie abed tomorrow morning for a good long rest; tomorrow being a holiday she passed at home. Also how she had seen a countess and a lord some days before, and how the lord was much about as tall as Peter; at which Peter pulled up his collars so high that you couldn't have seen his head if you had been there. All this time the chestnuts and the jug went round and round; and by-and-bye they had a song, about a lost child travelling in the snow, from Tiny Tim, who had a plaintive little voice, and sang it very well indeed.

There was nothing of high mark in this. They were not a handsome family; they were not well dressed; their shoes were far from being water-proof; their clothes were scanty; and Peter might have known, and very likely did, the inside of a pawnbroker's. But, they were happy, grateful, pleased with one another, and contented with the time; and when they faded, and looked happier yet in the bright sprinklings of the Spirit's torch at parting, Scrooge had his eye upon them, and especially on Tiny Tim, until the last.

By this time it was getting dark, and snowing pretty heavily; and as Scrooge and the Spirit went along the streets, the brightness of the roaring fires in kitchens, parlours, and all sorts of rooms, was wonderful. Here, the flickering of the blaze showed preparations for a cosy dinner, with hot plates baking through and through before the fire, and deep red curtains, ready to be drawn to shut out cold

incassare quel colossale reddito. Marta, che era una povera apprendista in una bottega di modista, disse loro il genere di lavoro che aveva da fare e quante ore di seguito dovesse lavorare e come fosse sua intenzione di rimanere a letto l'indomani mattina per un bel riposo lungo, giacché il giorno dopo era vacanza e poteva passarlo a casa. Disse pure che qualche giorno prima aveva visto una contessa e un Lord, e che il Lord «era grande quasi come Peter», al che Peter fece salire talmente in alto il colletto che, se foste stati presenti, non sareste riusciti a vedere la sua testa. Durante tutto questo tempo, le castagne e la brocca continuavano ad andare in giro, e finalmente Tim il Piccolino cominciò a cantare una canzone che parlava di un bambino che viaggiava nella neve, canzone che Tim, con la sua piccola voce lamentosa, cantava veramente molto bene.

In tutto questo non c'era veramente niente di straordinario. Non era una bella famiglia; non erano ben vestiti; avevano scarpe ben lungi dall'essere impermeabili; avevano pochi abiti e Peter poteva conoscere, anzi molto probabilmente conosceva, l'interno di una agenzia di pegni. Ma erano felici, riconoscenti, si volevano bene ed erano contenti di quel periodo di feste; e mentre si dileguavano, con un aspetto ancor più felice per le abbondanti aspersioni prodigate su loro, nel momento di partire, dalla torcia dello Spirito, Scrooge, fino all'ultimo, non staccò mai gli occhi da loro, e specialmente da Tim il Piccolino.

Intanto si era fatto buio e nevicava piuttosto fitto; e mentre Scrooge e lo Spirito camminavano per le strade, il chiarore dei fuochi che ardevano nelle cucine, nei salotti e in ogni specie di stanza, era meraviglioso. Qui lo scintillio delle fiamme mostrava i preparativi per un pranzo intimo, con piatti caldi che finivano di cuocersi davanti al fuoco e cortine rosso-

and darkness. There all the children of the house were running out into the snow to meet their married
sisters, brothers, cousins, uncles, aunts, and be the
first to greet them. Here, again, were shadows on the
window-blind of guests assembling; and there a
group of handsome girls, all hooded and fur-booted,
and all chattering at once, tripped lightly off to some
near neighbour's house; where, woe upon the single
man who saw them enter – artful witches, well they
knew it – in a glow.

But, if you had judged from the numbers of people on their way to friendly gatherings, you might
have thought that no one was at home to give them
welcome when they got there, instead of every house
expecting company, and piling up its fires half-chim-
ney high. Blessings on it, how the Ghost exulted!
How it bared its breadth of breast, and opened its
capacious palm, and floated on, outpouring, with a
generous hand, its bright and harmless mirth on
everything within its reach! The very lamplighter,
who ran on before, dotting the dusky street with
specks of light, and who was dressed to spend the
evening somewhere, laughed out loudly as the Spirit
passed, though little kenned the lamplighter that he
had any company but Christmas.

And now, without a word of warning from the
Ghost, they stood upon a bleak and desert moor,
where monstrous masses of rude stone were cast
about, as though it were the burial-place of giants;
and water spread itself wheresoever it listed, or
would have done so, but for the frost that held it pri-
soner; and nothing grew but moss and furze, and
coarse rank grass. Down in the west the setting sun
had left a streak of fiery red, which glared upon the

scuro pronte a essere tirate per tener fuori il freddo e l'oscurità. Là tutti i bambini della casa stavano correndo fuori nella neve, incontro a sorelle sposate, fratelli, cugini, zii e zie, per essere i primi a salutarli. Qua si vedevano proiettarsi sulle finestre le ombre degli invitati che si riunivano, e là un gruppo di belle ragazze, tutte incappucciate e con le scarpe di pelliccia, parlavano tutte in una volta, dirigendosi rapidamente verso qualche casa vicina; e guai allo scapolo che le avesse viste entrare; quelle furbe piccole streghe lo sapevano fin troppo bene.

Ma, giudicando dal numero di persone incamminate verso queste amichevoli riunioni, si poteva pensare che nessuno fosse in casa per riceverli al loro arrivo, e non che ogni casa attendesse i suoi ospiti e stesse ammucchiando carbone sul fuoco fino all'altezza della metà del camino. E come esultava lo Spirito, come metteva a nudo il petto ampio e apriva la palma capace e continuava a ondeggiare, aspergendo con mano generosa la sua gioia vivace e innocente su tutto quanto si trovava alla sua portata! Persino l'accenditore di lampioni, che correva avanti a loro punteggiando di macchie di luce la strada scura, e che era vestito per andare a passar la serata in qualche posto, rise forte al passare dello Spirito, per quanto non sapesse affatto di avere, oltre a quella del Natale, anche un'altra compagnia.

E ora, senza una parola di avviso da parte dello Spirito, si trovarono in una brughiera sinistra e deserta, dove erano sparpagliate masse mostruose di rocce dure, come se quello fosse stato un cimitero di giganti, e l'acqua si spargeva in tutti i sensi, o, per dir meglio, lo avrebbe fatto se il gelo non l'avesse tenuta prigioniera, e niente cresceva se non borraccina e giunchi e un'erba dura e fitta. Verso ponente, il sole nel tramontare aveva lasciato una striscia di rosso

desolation for an instant, like a sullen eye, and frowning lower, lower, lower yet, was lost in the thick gloom of darkest night.

«What place is this?» asked Scrooge.

«A place where Miners live, who labour in the bowels of the earth» returned the Spirit. «But they know me. See!»

A light shone from the window of a hut, and swiftly they advanced towards it. Passing through the wall of mud and stone, they found a cheerful company assembled round a glowing fire. An old, old man and woman, with their children and their children's children, and another generation beyond that, all decked out gaily in their holiday attire. The old man, in a voice that seldom rose above the howling of the wind upon the barren waste, was singing them a Christmas song – it had been a very old song when he was a boy – and from time to time they all joined in the chorus. So surely as they raised their voices, the old man got quite blithe and loud; and so surely as they stopped, his vigour sank again.

The Spirit did not tarry here, but bade Scrooge hold his robe, and passing on above the moor, sped whither? Not to sea? To sea. To Scrooge's horror, looking back, he saw the last of the land, a frightful range of rocks, behind them; and his ears were deafened by the thundering of water, as it rolled and roared, and raged among the dreadful caverns it had worn, and fiercely tried to undermine the earth.

Built upon a dismal reef of sunken rocks, some league or so from shore, on which the waters chafed and dashed, the wild year through, there stood a solitary lighthouse. Great heaps of sea-weed clung to its base, and storm-birds – born of the wind one mi-

acceso, che si rifletté per un momento su quella desolazione, simile a un occhio triste, e poi, spegnendosi sempre più lentamente, si perdette nella profonda oscurità della notte.

«Che luogo è questo?» chiese Scrooge.

«Un luogo dove vivono minatori che lavorano nelle viscere della terra. Però mi conoscono. Guardate!»

Una luce brillava alla finestra di una capanna, ed essi avanzarono rapidamente in quella direzione. Passando attraverso le pareti di fango e di pietra, trovarono una gaia compagnia riunita intorno a un fuoco ardente: un uomo alto, molto vecchio e la sua donna, con i loro figli e i figli dei loro figli, e un'altra generazione dopo di questa, tutti gaiamente vestiti con gli abiti delle feste. Il vecchio, con una voce che di rado superava l'ululo del vento su quello sterile deserto, stava cantando loro un canto di Natale che era già molto antico al tempo della sua infanzia; e, di tanto in tanto, tutti si univano al coro. Appena essi alzavano la voce, anche quella del vecchio si faceva più forte e sonora, e non appena essi cessavano. anche il vigore di lui veniva meno.

Lo Spirito indugiò a lungo, ma disse a Scrooge di tenersi saldamente alla sua veste e, passando al di sopra della brughiera, si diresse dove? Non verso il mare? Sì, verso il mare. Volgendosi indietro, Scrooge, con suo grande spavento, vide la terra alle loro spalle, come un pauroso allineamento di rocce, e i suoi orecchi furono assordati dal tuonar delle acque, che si scatenavano, ruggivano e infuriavano tra le paurose caverne che esse stesse avevano scavato, e tentavano furiosamente di minare la terra.

Pressappoco a una lega di distanza dalla sponda, c'era un faro solitario eretto su una triste scogliera sommersa, contro la quale le acque infuriavano e battevano durante tutto l'anno. Grandi mucchi di al-

ght suppose, as sea-weed of the water – rose and fell about it, like the waves they skimmed.

But even here, two men who watched the light had made a fire, that through the loophole in the thick stone wall shed out a ray of brightness on the awful sea. Joining their horny hands over the rough table at which they sat, they wished each other Merry Christmas in their can of grog; and one of them, the elder, too, with his face all damaged and scarred with hard weather, as the figure-head of an old ship might be, struck up a sturdy song that was like a Gale in itself.

Again the Ghost sped on, above the black and heaving sea – on, on – until, being far away, as he told Scrooge, from any shore, they lighted on a ship. They stood beside the helmsman at the wheel, the look-out in the bow, the officers who had the watch; dark, ghostly figures in their several stations; but every man among them hummed a Christmas tune, or had a Christmas thought, or spoke below his breath to his companion of some bygone Christmas Day, with homeward hopes belonging to it. And every man on board, waking or sleeping, good or bad, had had a kinder word for another on that day than on any day in the year; and had shared to some extent in its festivities; and had remembered those he cared for at a distance, and had known that they delighted to remember him.

It was a great surprise to Scrooge, while listening to the moaning of the wind, and thinking what a solemn thing it was to move on through the lonely

ghe erano appiccicate alla sua base e le procellarie, figlie del vento, si sarebbe potuto credere, come l'alga è figlia delle acque, gli si alzavano e si abbassavano intorno, simili a quelle onde che le loro ali sfioravano.

Ma anche qui i due guardiani del faro avevano acceso un fuoco che mandava un raggio di luce sul mare infuriato, attraverso la feritoia nello spesso muro di pietra. Congiungendo le mani callose al di sopra della tavola rozza alla quale stavano seduti, si auguravano l'un l'altro il buon Natale davanti a un bricco di *grog*; e uno di loro, anzi, il più anziano, con un viso tutto segnato dalle intemperie come la polena di un vecchio bastimento, cantava una canzone rude che era in se stessa quasi una tempesta.

Lo Spirito si allontanò di nuovo al di sopra del mare nero e agitato, sempre avanti, sempre avanti, finché quando furono molto lontani, come egli disse a Scrooge, da qualunque riva, atterrarono su un bastimento. Si trovarono tra il timoniere al timone, la vedetta a prua e l'ufficiale di guardia; tutte figure scure e quasi spettrali ai loro rispettivi posti. Ma ciascuno di quegli uomini zufolava una canzone natalizia o aveva un pensiero natalizio, oppure parlava sottovoce al compagno di qualche Natale passato, con tutte le speranze nostalgiche connesse con esso. E ciascun uomo a bordo, desto o addormentato, buono o cattivo, aveva detto a un altro uomo in quel giorno una parola più gentile che in qualsiasi altro giorno dell'anno e si era associato in qualche misura alla festività della giornata e aveva ricordato da lungi le persone care, sapendo che queste a loro volta erano felici di ricordarsi di lui.

Fu una grande sorpresa per Scrooge, mentre ascoltava l'ululato del vento e pensava che era una cosa solenne muoversi attraverso quella oscurità so-

darkness over an unknown abyss, whose depths were secrets as profound as Death: it was a great surprise to Scrooge, while thus engaged, to hear a hearty laugh. It was a much greater surprise to Scrooge to recognise it as his own nephew's and to find himself in a bright, dry, gleaming room, with the Spirit standing smiling by his side, and looking at that same nephew with approving affability.

«Ha, ha» laughed Scrooge's nephew. «Ha, ha, ha!»

If you should happen, by any unlikely chance, to know a man more blest in a laugh than Scrooge's nephew, all I can say is, I should like to know him too. Introduce him to me, and I'll cultivate his acquaintance.

It is a fair, even-handed, noble adjustment of things, that while there is infection in disease and sorrow, there is nothing in the world so irresistibly contagious as laughter and good-humour. When Scrooge's nephew laughed in this way, holding his sides, rolling his head, and twisting his face into the most extravagant contortions, Scrooge's niece, by marriage, laughed as heartily as he. And their assembled friends being not a bit behindhand, roared out lustily. «Ha, ha! Ha, ha, ha, ha!»

«He said that Christmas was a humbug, as I live!» cried Scrooge's nephew. «He believed it too!»

«More shame for him, Fred» said Scrooge's niece, indignantly. Bless those women; they never do anything by halves. They are always in earnest.

She was very pretty, exceedingly pretty. With a dimpled, surprised-looking, capital face; a ripe little mouth, that seemed made to be kissed – as no doubt it was; all kinds of good little dots about her chin,

litaria al di sopra di un abisso sconosciuto le cui
profondità erano segrete e non meno impenetrabili
della morte, fu una grande sorpresa per Scrooge, immerso in questi pensieri, udire una risata cordiale.
Fu una sorpresa anche più grande per Scrooge riconoscere che quella risata era di suo nipote e trovarsi
in una stanza chiara, asciutta, illuminata, con lo Spirito sorridente, ritto al suo fianco, che quello stesso
nipote guardava con un'aria di affabile consenso.

«Ah, ah!» rideva il nipote di Scrooge. «Ah, ah!»

Se, per un caso improbabile, conoscete un uomo
capace di ridere più beatamente del nipote di Scrooge, tutto quel che posso dire è che mi piacerebbe fare
la sua conoscenza. Presentatemelo, e io coltiverò la
sua amicizia.

Per un giusto, equilibrato e nobile ordinamento
delle cose, se la malattia e la tristezza sono contagio-
se, non c'è niente al mondo così irresistibilmente
contagioso come il riso e il buon umore. Mentre il
nipote di Scrooge rideva a questo modo, reggendosi i
fianchi, muovendo la testa e contorcendo il viso nelle smorfie più stravaganti, la nipote (acquisita) di
Scrooge rideva non meno cordialmente di lui, e i loro amici riuniti non rimanevano affatto indietro e
gridavano allegramente. «Ah, ah, ah, ah!»

«Ha detto che il Natale è una stupidaggine, come è
vero che sono qui» gridò il nipote di Scrooge; «e ci
credeva davvero.»

«Che vergogna per lui, Fred» disse la nipote di
Scrooge, indignata. Siano benedette le donne, perché non fanno mai le cose a mezzo. Fanno sempre
sul serio.

Era graziosa, estremamente graziosa. Aveva un viso
pieno di fossette, con un aspetto sorpreso; una piccola
bocca matura che sembrava fatta per esser baciata,
come senza dubbio era; ogni sorta di piccoli nei sul

that melted into one another when she laughed; and the sunniest pair of eyes you ever saw in any little creature's head. Altogether she was what you would have called provoking, you know; but satisfactory too. Oh, perfectly satisfactory!

«He's a comical old fellow,» said Scrooge's nephew, «that's the truth, and not so pleasant as he might be. However, his offences carry their own punishment, and I have nothing to say against him.»

«I'm sure he is very rich, Fred,» hinted Scrooge's niece. «At least you always tell *me* so.»

«What of that, my dear» said Scrooge's nephew. «His wealth is of no use to him. He don't do any good with it. He don't make himself comfortable with it. He hasn't the satisfaction of thinking – ha, ha, ha! – that he is ever going to benefit us with it.»

«I have no patience with him» observed Scrooge's niece. Scrooge's niece's sisters, and all the other ladies, expressed the same opinion.

«Oh, I have!» said Scrooge's nephew. «I am sorry for him; I couldn't be angry with him if I tried. Who suffers by his ill whims! Himself, always. Here, he takes it into his head to dislike us, and he won't come and dine with us. What's the consequence? He don't lose much of a dinner.»

«Indeed, I think he loses a very good dinner,» interrupted Scrooge's niece. Everybody else said the same, and they must be allowed to have been competent judges, because they had just had dinner; and, with the dessert upon the table, were clustered round the fire, by lamplight.

mento, che quando rideva si fondevano in uno solo, e il più luminoso paio di occhi che si possa mai vedere nel viso di qualsiasi creatura. Nel complesso, era ciò che si chiamerebbe provocante, ma anche soddisfacente. Oh, perfettamente soddisfacente!

«È un vecchietto comico» disse il nipote di Scrooge; «questa è la verità; ed è ben lontano dall'esser così piacevole come dovrebbe. Tuttavia i suoi peccati portano in se stessi la loro punizione, e io non ho niente da dire contro di lui.»

«Son sicura che deve essere molto ricco, Fred,» suggerì la nipote di Scrooge «o almeno questo è quel che mi dici sempre.»

«E anche se è così, mia cara?» disse il nipote di Scrooge. «La sua ricchezza non gli serve a niente. Non gli serve a fare nulla di buono. Non gli serve nemmeno a rendersi comoda la vita; non ha nemmeno la soddisfazione di pensare – ah, ah, ah! – che verrà il giorno nel quale di quella ricchezza potrà far godere noi.»

«Io non lo sopporto» osservò la nipote di Scrooge.

Le sorelle della nipote di Scrooge e tutte le altre signore espressero la stessa opinione.

«Oh, io sì!» disse il nipote di Scrooge. «A me fa compassione. Non potrei arrabbiarmi con lui neanche se ci provassi. Chi è che soffre per tutti i suoi malvagi capricci? Lui stesso, sempre. Per esempio, si è messo in testa di non aver simpatia per noi e non vuol venire a pranzo da noi. Qual è la conseguenza? Il pranzo che perde non è poi gran cosa.»

«Invece, io penso che perda un pranzo eccellente» interruppe la nipote di Scrooge. Tutti gli altri dissero lo stesso, e bisogna riconoscere che erano giudici competenti, perché avevano appena finito di pranzare e stavano riuniti intorno al fuoco, alla luce della lampada, col dessert in tavola.

«Well! I'm very glad to hear it,» said Scrooge's nephew «because I haven't great faith in these young housekeepers. What do *you* say, Topper?»

Topper had clearly got his eye upon one of Scrooge's niece's sisters, for he answered that a bachelor was a wretched outcast, who had no right to express an opinion on the subject. Whereat Scrooge's niece's sister – the plump one with the lace tucker, not the one with the roses – blushed.

«Do go on, Fred» said Scrooge's niece, clapping her hands. «He never finishes what he begins to say. He is such a ridiculous fellow.»

Scrooge's nephew revelled in another laugh, and as it was impossible to keep the infection off; though the plump sister tried hard to do it with aromatic vinegar; his example was unanimously followed.

«I was only going to say,» said Scrooge's nephew, «that the consequence of his taking a dislike to us, and not making merry with us, is, as I think, that he loses some pleasant moments, which could do him no harm. I am sure he loses pleasanter companions than he can find in his own thoughts, either in his mouldy old office, or his dusty chambers. I mean to give him the same chance every year, whether he likes it or not, for I pity him. He may rail at Christmas till he dies, but he can't help thinking better of it – I defy him – if he finds me going there, in good temper, year after year, and saying Uncle Scrooge, how are you. If it only puts him in the vein to leave his poor clerk fifty pounds, that's something; and I think I shook him yesterday.»

It was their turn to laugh now at the notion of his shaking Scrooge. But being thoroughly good-natured, and not much caring what they laughed at, so

«Bene, mi fa piacere sentirlo dire,» disse la nipote di Scrooge «perché io non ho mai avuto troppa fede in queste massaie giovani. Che ne dici tu, Topper?»

Topper aveva messo gli occhi in modo evidente su una delle sorelle della nipote di Scrooge, e rispose che uno scapolo è un disgraziato paria il quale non ha il diritto di esprimere una opinione su un simile argomento. A questo, la sorella della nipote di Scrooge, quella paffuta col colletto di pizzo, non quella con le rose, si fece rossa in faccia.

«Va' avanti, Fred» disse la nipote di Scrooge, battendo le mani. «Non finisce mai quello che incomincia a dire. È proprio un tipo ridicolo.»

Il nipote di Scrooge si lasciò andare a un'altra risata e, siccome era impossibile eliminare il contagio, per quanto la sorella paffuta tentasse di farlo a mezzo di aceto aromatico, il suo esempio fu seguito unanimemente.

«Volevo dire soltanto» disse il nipote di Scrooge «che la conseguenza della sua antipatia verso di noi e del suo rifiutarsi di stare allegro con noi è, mi sembra, che sia lui a perdere qualche momento piacevole, che non potrebbe fargli niente di male. Son sicuro che perde una compagnia più gradevole di quella che può trovare nei suoi pensieri, sia in quel suo vecchio ufficio ammuffito o nel suo polveroso appartamento. Tutti gli anni, gli piaccia o non gli piaccia, voglio dargli la possibilità, perché ho compassione di lui. Si faccia pure beffa del Natale finché vive, ma finirà col pensare meglio, ci scommetto, se trova che tutti gli anni vado da lui, di buon umore, a dirgli "Zio Scrooge, come stai?". Se questo bastasse soltanto a dargli la voglia di lasciare una cinquantina di sterline a quel suo povero impiegato, sarebbe già qualcosa. E ieri credo di averlo scosso.»

All'idea che egli avesse potuto scuotere Scrooge, furono gli altri a ridere; ma egli, che era di buonissimo carattere e che non si curava di che cosa rideva-

that they laughed at any rate, he encouraged them in their merriment, and passed the bottle joyously.

After tea, they had some music. For they were a musical family, and knew what they were about, when they sung a Glee or Catch, I can assure you, especially Topper, who could growl away in the bass like a good one, and never swell the large veins in his forehead, or get red in the face over it. Scrooge's niece played well upon the harp; and played among other tunes a simple little air (a mere nothing, you might learn to whistle it in two minutes), which had been familiar to the child who fetched Scrooge from the boarding-school, as he had been reminded by the Ghost of Christmas Past. When this strain of music sounded, all the things that Ghost had shown him, came upon his mind; he softened more and more; and thought that if he could have listened to it often, years ago, he might have cultivated the kindnesses of life for his own happiness with his own hands, without resorting to the sexton's spade that buried Jacob Marley.

But they didn't devote the whole evening to music. After a while they played at forfeits; for it is good to be children sometimes, and never better than at Christmas, when its mighty Founder was a child himself. Stop! There was first a game at blind-man's buff. Of course there was.

And I no more believe Topper was really blind than I believe he had eyes in his boots. My opinion is, that it was a done thing between him and Scrooge's nephew; and that the Ghost of Christmas Present knew it. The way he went after that plump sister in the lace tucker, was an outrage on the credulity of human nature. Knocking down the fire-irons, tum-

no purché ridessero, li incoraggiò nella loro allegria e fece passare in giro gioiosamente la bottiglia.

Dopo il tè, fecero un po' di musica, giacché erano una famiglia musicale e, quando si mettevano a cantare una canzone o una romanza, sapevano quello che facevano, posso assicurarlo; specialmente Topper, il quale poteva ruggire con voce di basso come un vero basso, senza che mai gli venissero fuori le grosse vene della fronte o gli diventasse rossa la faccia. La nipote di Scrooge suonava l'arpa e, fra le altre melodie, suonò un'arietta semplice, una cosetta da niente che tutti voi potreste imparare a zufolare in due minuti, che era stata familiare a quella bambina che era venuta a cercare Scrooge al convitto, come gli aveva ricordato lo Spettro del Natale Passato. Mentre questa musica suonava, gli tornarono in mente tutte le cose che quello Spettro gli aveva mostrato. Si addolcì sempre di più e pensò che se l'avesse ascoltata spesso, anni prima, avrebbe potuto coltivare con le sue stesse mani e nell'interesse della sua stessa felicità quel che c'è di dolce nella vita, senza dover ricorrere alla pala del becchino che aveva seppellito Jacob Marley.

Ma non consacrarono alla musica l'intera serata. Dopo un certo tempo, passarono ai giochi di società, perché è bene tornar bambini qualche volta e non vi è miglior tempo per farlo che il Natale, allorché il suo onnipotente Fondatore era Egli stesso un bambino. Fermi! Si cominciò col gioco della mosca cieca. Naturalmente, io non credo che Topper fosse veramente cieco più di quanto non creda che avesse occhi nelle scarpe. La mia impressione è che tutta questa cosa era combinata d'accordo tra lui e il nipote di Scrooge e che lo Spettro del Natale Presente lo sapesse. Il modo col quale si dirigeva verso la sorella paffuta col colletto di trina era un vero e pro-

bling over the chairs, bumping against the piano, smothering himself among the curtains, wherever she went, there went he. He always knew where the plump sister was. He wouldn't catch anybody else. If you had fallen up against him (as some of them did), on purpose, he would have made a feint of endeavouring to seize you, which would have been an affront to your understanding, and would instantly have sidled off in the direction of the plump sister. She often cried out that it wasn't fair; and it really was not. But when at last, he caught her; when, in spite of all her silken rustlings, and her rapid flutterings past him, he got her into a corner whence there was no escape; then his conduct was the most execrable. For his pretending not to know her; his pretending that it was necessary to touch her head-dress, and further to assure himself of her identity by pressing a certain ring upon her finger, and a certain chain about her neck; was vile, monstrous. No doubt she told him her opinion of it, when, another blind-man being in office, they were so very confidential together, behind the curtains.

Scrooge's niece was not one of the blind-man's buff party, but was made comfortable with a large chair and a footstool, in a snug corner, where the Ghost and Scrooge were close behind her. But she joined in the forfeits, and loved her love to admiration with all the letters of the alphabet. Likewise at the game of How, When, and Where, she was very great, and to the secret joy of Scrooge's nephew, beat her sisters hollow: though they were sharp girls too, as could have told

prio insulto alla credulità della natura umana. Rovesciando gli alari del focolare, inciampando nelle sedie, urtando contro il piano, sgusciando fra le cortine, dovunque andava lei andava anche lui; sapeva sempre dove era la sorella paffuta e non acchiappava mai nessun altro. Se vi foste scontrati con lui, come accadde ad alcuni di loro, e vi foste fermati sul posto, lui avrebbe fatto finta di tentare di acchiapparvi in un modo da costituire un oltraggio alla vostra intelligenza, e immediatamente sarebbe sgusciato via nella direzione della sorella paffuta. Questa gridò spesso che non era un gioco corretto, e in realtà non era tale; ma quando egli alla fine l'afferrò, quando a dispetto di tutto il fruscio della sua seta e dei suoi rapidi volteggi per evitarlo riuscì a spingerla in un angolo, dal quale non c'era possibilità di fuggire, allora la condotta di lui fu particolarmente esecrabile, perché il modo col quale tentò di far credere di non sapere che era lei, il modo col quale tentò di far credere che era necessario toccarle la pettinatura, nonché assicurarsi dell'identità di lei toccandole un certo anello sul dito e una certa collana intorno al collo: fu vile e mostruoso. Lei, senza dubbio, gli disse che cosa ne pensava, allorché, mentre era in funzione un altro bendato, loro due si intrattennero così confidenzialmente dietro le cortine.

La nipote di Scrooge non prese parte al gioco della mosca cieca, ma venne comodamente installata, con una grande sedia e con un panchettino per i piedi, in un angolo tranquillo, dove lo Spettro e Scrooge le si trovavano dietro, vicinissimi. Partecipò al riscatto dei pegni e si rese particolarmente ammirevole con tutte le lettere dell'alfabeto; così pure fu straordinariamente grande nel gioco del «come, quando e dove» e, con segreto compiacimento del nipote di Scrooge, superò

you. There might have been twenty people there, young and old, but they all played, and so did Scrooge, for, wholly forgetting the interest he had in what was going on, that his voice made no sound in their ears, he sometimes came out with his guess quite loud, and very often guessed quite right, too; for the sharpest needle, best Whitechapel, warranted not to cut in the eye, was not sharper than Scrooge; blunt as he took it in his head to be.

The Ghost was greatly pleased to find him in this mood, and looked upon him with such favour, that he begged like a boy to be allowed to stay until the guests departed. But this the Spirit said could not be done.

«Here is a new game» said Scrooge. «One half hour, Spirit, only one!»

It was a Game called Yes and No, where Scrooge's nephew had to think of something, and the rest must find out what; he only answering to their questions yes or no, as the case was.

The brisk fire of questioning to which he was exposed, elicited from him that he was thinking of an animal, a live animal, rather a disagreeable animal, a savage animal, an animal that growled and grunted sometimes, and talked sometimes, and lived in London, and walked about the streets, and wasn't made a show of, and wasn't led by anybody, and didn't live in a menagerie, and was never killed in a market, and was not a horse, or an ass, or a cow, or a bull, or a tiger, or a dog, or a pig, or a cat, or a bear. At every fresh question that was put to him, this nephew burst into a

nettamente le sorelle, per quanto anche queste fossero ragazze intelligenti, e Topper avrebbe potuto dirve-
lo. Tra giovani e vecchi poteva esserci una ventina di
persone, ma tutti quanti presero parte ai giochi e perfino Scrooge, il quale si interessava talmente a ciò che
stava accadendo da dimenticare che la sua voce non
poteva essere udita dai loro orecchi, dichiarò a volte
ad alta voce ciò che credeva di aver indovinato, e molto spesso indovinò giusto, giacché il più acuto degli
aghi di Whitechapel, garantito in modo speciale per
la sua acutezza, non era più acuto di Scrooge, per
quanto questi potesse immaginarsi di essere ottuso.

Lo Spettro constatava con compiacimento questo
suo stato di umore, e lo guardava con tale favore,
che Scrooge chiese, come un ragazzino, che gli fosse
permesso di rimanere fin quando tutti gli invitati
non se ne fossero andati; ma lo Spirito disse che questo non era possibile.

«Fanno un nuovo gioco» disse Scrooge. «Mezz'o-
ra, Spirito; mezz'ora soltanto!»

Era un gioco chiamato «sì e no», nel quale il nipote
di Scrooge doveva pensare una cosa e il resto doveva
scoprire che cosa avesse pensato, in base alle sue ri-
sposte di sì o di no, secondo il caso. Il fuoco di fila delle domande a cui si trovò esposto permise di scoprire
che stava pensando a un animale, a un animale vivo, a
un animale piuttosto sgradevole, a un animale selvag-
gio, a un animale che a volte ringhiava e grugniva e a
volte parlava, che viveva a Londra, camminava per le
strade, non veniva mostrato in spettacolo al pubblico,
non era guidato da nessuno, non viveva in un serra-
glio, non era mai stato macellato e non era né un ca-
vallo, né un asino, né una vacca, né un toro, né una ti-
gre, né un cane, né un maiale, né un gatto, né un orso.
A ogni nuova domanda che gli veniva rivolta, il nipote
esplodeva in una nuova risata e si divertiva in tal misu-

fresh roar of laughter; and was so inexpressibly tickl-
ed, that he was obliged to get up off the sofa and
stamp. At last the plump sister, falling into a similar
state, cried out: «I have found it out! I know what it is,
Fred! I know what it is!»

«What is it?» cried Fred.

«It's your Uncle Scrooge!»

Which it certainly was. Admiration was the universal sentiment, though some objected that the reply to «Is it a bear?» ought to have been «Yes» inas-
much as an answer in the negative was sufficient to
have diverted their thoughts from Mr Scrooge, sup-
posing they had ever had any tendency that way.

«He has given us plenty of merriment, I am sure,»
said Fred, «and it would be ungrateful not to drink his
health. Here is a glass of mulled wine ready to our
hand at the moment; and I say, "Uncle Scrooge"!»

«Well! Uncle Scrooge!» they cried.

«A Merry Christmas and a Happy New Year to the
old man, whatever he is» said Scrooge's nephew. «He
wouldn't take it from me, but may he have it, ne-
vertheless. Uncle Scrooge!»

Uncle Scrooge had imperceptibly become so gay
and light of heart, that he would have pledged the
unconscious company in return, and thanked them
in an inaudible speech, if the Ghost had given him time. But the whole scene passed off in the breath of
the last word spoken by his nephew; and he and the
Spirit were again upon their travels.

Much they saw, and far they went, and many homes they visited, but always with a happy end. The
Spirit stood beside sick beds, and they were cheerful;
on foreign lands, and they were close at home; by

ra da esser costretto ad alzarsi dal sofà e a battere i piedi per terra. Finalmente la sorella paffuta, eccitata quasi quanto lui, gridò: «Ho trovato! So che cos'è, Fred! So che cos'è!»

«Che cosa è?» gridò Fred.

«È tuo zio Scrooge!»

Proprio così. L'ammirazione fu generale, per quanto qualcuno facesse osservare che la risposta alla domanda «è un orso?» avrebbe dovuto essere sì, giacché la risposta negativa era sufficiente a deviare il loro pensiero dal signor Scrooge, anche supponendo che esso si fosse già diretto in quel senso.

«Ci ha fatto divertire straordinariamente, non c'è dubbio» disse Fred. «E saremmo degli ingrati se non bevessimo alla sua salute. Un bicchiere di vino caldo in mano di tutti immediatamente, e io dico: alla salute di zio Scrooge!»

«Bene! Alla salute di zio Scrooge!» gridarono tutti.

«Buon Natale e buon anno al vecchio, in ogni modo!» disse il nipote di Scrooge. «Non ha voluto accettare gli auguri da me, ma li riceverà lo stesso. Alla salute di zio Scrooge!»

Un po' alla volta lo zio Scrooge era diventato così gaio e si sentiva il cuore così leggero, che se lo Spettro gliene avesse dato il tempo, avrebbe ricambiato gli auguri alla compagnia, la quale non aveva nessuna idea della sua presenza, e li avrebbe ringraziati con un discorso che nessuno avrebbe potuto ascoltare. Ma non appena suo nipote ebbe pronunciata l'ultima parola, l'intera scena scomparve, ed egli e lo Spirito si ritrovarono in viaggio.

Molte cose videro, si spinsero lontano e visitarono molte case, ma sempre con un esito felice. Lo Spirito si fermò accanto al letto degli ammalati e questi si sentirono sollevati; si fermò in paesi stranieri e tutti si sentirono a casa loro; vicino a uomini che lottavano,

struggling men, and they were patient in their greater hope; by poverty, and it was rich. In almshouse,
hospital, and jail, in misery's every refuge, where
vain man in his little brief authority had not made
fast the door and barred the Spirit out, he left his
blessing, and taught Scrooge his precepts.

It was a long night, if it were only a night; but
Scrooge had his doubts of this, because the Christmas Holidays appeared to be condensed into the
space of time they passed together. It was strange,
too, that while Scrooge remained unaltered in his
outward form, the Ghost grew older, clearly older.
Scrooge had observed this change, but never spoke
of it, until they left a children's Twelfth Night party,
when, looking at the Spirit as they stood together in
an open place, he noticed that its hair was grey.

«Are spirits' lives so short?» asked Scrooge.

«My life upon this globe, is very brief» replied the
Ghost. «It ends tonight.»

«Tonight!» cried Scrooge.

«Tonight at midnight. Hark! The time is drawing
near.»

The chimes were ringing the three quarters past
eleven at that moment.

«Forgive me if I am not justified in what I ask» said
Scrooge, looking intently at the Spirit's robe «but I see
something strange, and not belonging to yourself,
protruding from your skirts. Is it a foot or a claw?»

«It might be a claw, for the flesh there is upon it»
was the Spirit's sorrowful reply. «Look here.»

ai quali una più grande speranza restituì la pazienza; vicino al povero, e questi divenne ricco. Negli asili di mendicità, negli ospedali, nelle prigioni, in tutti i rifugi della miseria, dove la vanità dell'uomo con la sua piccola e breve autorità non aveva sbarrato la porta e chiuso fuori lo Spirito, questi lasciò la sua benedizione e impartì a Scrooge i suoi precetti.

Fu una notte lunga, se pure fu soltanto una notte, cosa di cui Scrooge dubitava, giacché sembrava che nello spazio di tempo che trascorsero insieme fossero condensate tutte le feste di Natale. Un'altra cosa strana era che, mentre Scrooge conservava inalterato il suo aspetto esteriore, lo Spirito diventava visibilmente sempre più vecchio. Quel cambiamento non era sfuggito a Scrooge, ma questi non vi fece mai allusione, finché non ebbero lasciato una festicciola di bambini, ed egli, guardando lo Spirito mentre si trovavano insieme in uno spazio aperto, osservò che i suoi capelli erano bianchi.

«La vita degli Spiriti è dunque così breve?» chiese Scrooge.

«La mia vita su questa terra è brevissima» replicò lo Spettro. «Finisce stanotte.»

«Stanotte!» gridò Scrooge.

«Stanotte a mezzanotte. Presto! Il momento si avvicina.»

In quell'istante gli orologi stavano battendo le undici e tre quarti.

«Perdonatemi se la mia domanda è indispensabile» disse Scrooge, guardando fisso la veste dello Spirito. «Ma vedo qualcosa di strano e che non appartiene a voi, che esce fuori dalla vostra veste. È un piede oppure un artiglio?»

«Potrebbe essere un artiglio, a giudicare dalla carne che vi è attaccata» fu l'accorata risposta dello Spirito. «Guardate.»

From the foldings of its robe, it brought two children; wretched, abject, frightful, hideous, miserable. They knelt down at its feet, and clung upon the outside of its garment.

«Oh, Man! Look here. Look, look, down here!» exclaimed the Ghost.

They were a boy and a girl. Yellow, meagre, ragged, scowling, wolfish; but prostrate, too, in their humility. Where graceful youth should have filled their features out, and touched them with its freshest tints, a stale and shrivelled hand, like that of age, had pinched, and twisted them, and pulled them into shreds. Where angels might have sat enthroned, devils lurked, and glared out menacing. No change, no degradation, no perversion of humanity, in any grade, through all the mysteries of wonderful creation, has monsters half so horrible and dread.

Scrooge started back, appalled. Having them shown to him in this way, he tried to say they were fine children, but the words choked themselves, rather than be parties to a lie of such enormous magnitude.

«Spirit! Are they yours?» Scrooge could say no more.

«They are Man's» said the Spirit, looking down upon them. «And they cling to me, appealing from their fathers. This boy is Ignorance. This girl is Want. Beware them both, and all of their degree, but most of all beware this boy, for on his brow I see that written which is Doom, unless the writing be erased. Deny it!» cried the Spirit, stretching out its hand towards the city. «Slander those who tell it ye! Admit

Dalle pieghe della veste trasse fuori due bimbi, laceri, abietti, spaventosi, schifosi, miserabili. Questi gli si inginocchiarono ai piedi e si afferrarono alla parte esterna della sua veste.

«Uomo, guardate qui! Guardate, guardate qui!» esclamò lo Spirito.

Erano un bambino e una bambina, gialli, magri, stracciati, imbronciati, simili a piccoli lupi, ma al tempo stesso prostrati nella loro umiltà. Dove la grazia giovanile avrebbe dovuto riempire i loro lineamenti e tingerli dei suoi più vivaci colori, una mano decrepita e rugosa come quella della vecchiaia li aveva afferrati, contorti, dilaniati. Dove gli angeli avrebbero potuto sedere in trono, si nascondevano i demoni e guardavano minacciosamente fuori. In tutti i misteri di questa meravigliosa creazione, non c'è alterazione, degradazione, perversione dell'umanità, in qualsiasi grado, che abbia mostri orribili e tremendi come quelli.

Scrooge, interdetto, distolse lo sguardo con spavento. Poiché gli erano stati mostrati in questo modo, tentò di dire che erano dei bei bambini, ma la voce gli si fermò nella strozza piuttosto che farsi complice di una così colossale bugia.

«Spirito, sono vostri?» Scrooge non fu capace di dire altro.

«Sono figli dell'Uomo» disse lo Spirito, abbassando lo sguardo su di lui «e si afferrano a me chiedendomi di aiutarli contro i loro padri. La bambina si chiama Ignoranza, il bimbo Bisogno. Guardateli bene tutti e due, e tutti quelli che somigliano a loro; ma soprattutto guardate bene la bambina, perché sulla sua fronte vedo scritta una parola che è una condanna, a meno che quella scritta non venga cancellata. Negatelo!» gridò lo Spirito, tendendo la mano verso la città. «Insultate coloro che ve lo dicono! Ammette-

it for your factious purposes, and make it worse. And abide the end!»

«Have they no refuge or resource?» cried Scrooge.

«Are there no prisons?» said the Spirit, turning on him for the last time with his own words. «Are there no workhouses?» The bell struck twelve.

Scrooge looked about him for the Ghost, and saw it not. As the last stroke ceased to vibrate, he remembered the prediction of old Jacob Marley, and lifting up his eyes, beheld a solemn Phantom, draped and hooded, coming, like a mist along the ground, towards him.

telo per i vostri scopi faziosi e renderete ancor peggiori le cose. E aspettate la fine!»

«Non c'è per loro un rifugio o un soccorso?» gridò Scrooge.

«Non ci sono le prigioni?» disse lo Spirito, usando per l'ultima volta contro di lui le sue stesse parole. «Non ci sono gli asili di mendicità?»

L'orologio batté le dodici. Scrooge cercò lo Spirito con lo sguardo ma non lo vide. Allorché l'ultimo colpo cessò di vibrare, si ricordò della predizione del vecchio Jacob Marley e, alzando gli occhi, scorse un Fantasma solennemente drappeggiato e incappucciato, che gli veniva incontro, simile alla nebbia che striscia sul terreno.

The Last of the Spirits

The Phantom slowly, gravely, silently approached. When it came, Scrooge bent down upon his knee; for in the very air through which this Spirit moved it seemed to scatter gloom and mystery.

It was shrouded in a deep black garment, which concealed its head, its face, its form, and left nothing of it visible save one outstretched hand. But for this it would have been difficult to detach its figure from the night, and separate it from the darkness by which it was surrounded.

He felt that it was tall and stately when it came beside him, and that its mysterious presence filled him with a solemn dread. He knew no more, for the Spirit neither spoke nor moved.

«I am in the presence of the Ghost of Christmas Yet To Come?» said Scrooge.

The Spirit answered not, but pointed onward with its hand.

«You are about to show me shadows of the things that have not happened, but will happen in the time before us,» Scrooge pursued. «Is that so, Spirit?»

The upper portion of the garment was contracted for an instant in its folds, as if the Spirit had inclined its head. That was the only answer he received.

L'ultimo degli Spiriti

Il Fantasma si avvicinava lentamente, con silenziosa gravità; e, quando gli fu vicino, Scrooge cadde in ginocchio, giacché l'aria stessa attraverso la quale si muoveva questo Spirito sembrava diffondere tutt'intorno l'oscurità e il mistero.

Era avvolto in un'ampia veste nera che gli nascondeva la testa, il volto e la forma, e non lasciava vedere di lui che una mano tesa. Se non fosse stato per questa, sarebbe stato difficile staccare la figura dalla notte e separarla dall'oscurità che la circondava.

Quando gli fu accanto, Scrooge sentì che era di statura alta e imponente e che la sua presenza misteriosa lo riempiva di un solenne terrore. Altro non sapeva, giacché lo Spirito non parlò né si mosse.

«Sono alla presenza dello Spettro del Natale Futuro?» chiese Scrooge.

Lo Spirito non rispose, ma additò in alto con la mano.

«Voi state per mostrarmi le ombre di cose che non sono accadute ma che accadranno nel tempo che ci sta dinanzi» proseguì Scrooge. «Non è così, Spirito?»

La parte superiore della veste si contrasse per un momento nelle sue pieghe, come se lo Spirito avesse chinato la testa. Fu questa l'unica risposta che Scrooge ricevette.

Although well used to ghostly company by this time, Scrooge feared the silent shape so much that his legs trembled beneath him, and he found that he could hardly stand when he prepared to follow it. The Spirit paused a moment, as observing his condition, and giving him time to recover.

But Scrooge was all the worse for this. It thrilled him with a vague uncertain horror, to know that behind the dusky shroud, there were ghostly eyes intently fixed upon him, while he, though he stretched his own to the utmost, could see nothing but a spectral hand and one great heap of black.

«Ghost of the Future» he exclaimed, «I fear you more than any spectre I have seen. But as I know your purpose is to do me good, and as I hope to live to be another man from what I was, I am prepared to bear you company, and do it with a thankful heart. Will you not speak to me?»

It gave him no reply. The hand was pointed straight before them.

«Lead on» said Scrooge. «Lead on! The night is waning fast, and it is precious time to me, I know. Lead on, Spirit!»

The Phantom moved away as it had come towards him. Scrooge followed in the shadow of its dress, which bore him up, he thought, and carried him along.

They scarcely seemed to enter the city; for the city rather seemed to spring up about them, and encompass them of its own act. But there they were, in the heart of it; on Change, amongst the merchants; who hurried up and down, and chinked the money in their pockets, and conversed in groups, and looked at their watches, and trifled thoughtfully with their

Per quanto avesse ormai fatto l'abitudine alla compagnia degli spettri, Scrooge aveva un tal timore di quell'ombra silenziosa che le gambe gli tremavano e, quando si accinse a seguirlo, si accorse che riusciva a malapena a reggersi in piedi. Lo Spirito indugiò un momento come se si fosse reso conto delle sue condizioni e avesse voluto dargli il tempo di rimettersi.

Ma questo non fece che peggiorare le condizioni di Scrooge. Sapere che dietro quell'oscuro velario c'erano occhi spettrali fissi su di lui, lo riempiva di un orrore vago e incerto, mentre, per quanto aguzzasse lo sguardo finché poteva, non riusciva a vedere altro che una mano spettrale e un gran mucchio nero.

«Spettro del Futuro!» esclamò. «Io vi temo più di qualsiasi altro Spettro che abbia incontrato. Ma siccome so che il vostro scopo è di farmi del bene e siccome spero di vivere tanto da diventare un altro uomo da quello che ero, son pronto a tenervi compagnia e a farlo con animo grato. Non volete parlarmi?»

Lo Spettro non rispose. La mano additava diritto, davanti a loro.

«Avanti!» disse Scrooge. «Conducetemi! La notte sta per finire, e so che per me il tempo è prezioso. Conducetemi innanzi, Spirito!»

Il Fantasma si mosse nello stesso modo col quale era venuto verso di lui e Scrooge lo seguì nell'ombra della sua veste, la quale, a quanto gli parve, lo sollevò e lo trasportò con sé.

Sembrò quasi che non fossero loro a entrare nella città, ma piuttosto la città a spuntar fuori tutt'intorno a loro e a circondarli. Nondimeno, erano nel cuore stesso della città, alla Borsa, tra i mercanti che si affrettavano in su e in giù, facevano tintinnare le monete in tasca, conversavano in gruppi, guardavano l'orologio, giocavano distrattamente con i loro gran-

great gold seals; and so forth, as Scrooge had seen them often.

The Spirit stopped beside one little knot of business men. Observing that the hand was pointed to them, Scrooge advanced to listen to their talk.

«No,» said a great fat man with a monstrous chin, «I don't know much about it, either way. I only know he's dead.»

«When did he die?» inquired another.

«Last night, I believe.»

«Why, what was the matter with him?» asked a third, taking a vast quantity of snuff out of a very large snuff-box. «I thought he'd never die.»

«God knows» said the first, with a yawn.

«What has he done with his money?» asked a red-faced gentleman with a pendulous excrescence on the end of his nose, that shook like the gills of a turkey-cock.

«I haven't heard,» said the man with the large chin, yawning again. «Left it to his company, perhaps. He hasn't left it to *me*. That's all I know.»

This pleasantry was received with a general laugh.

«It's likely to be a very cheap funeral,» said the same speaker; «for upon my life I don't know of anybody to go to it. Suppose we make up a party and volunteer?»

«I don't mind going if a lunch is provided» observed the gentleman with the excrescence on his nose. «But I must be fed, if I make one.»

Another laugh.

«Well, I am the most disinterested among you, after all» said the first speaker «for I never wear black gloves, and I never eat lunch. But I'll offer to go, if any-

di sigilli d'oro, e così via, come Scrooge li aveva visti tante volte.

Lo Spirito si fermò accanto a un gruppetto di uomini d'affari. Scrooge, osservando che la mano indicava questi, si accostò per sentire quel che dicevano.

«No,» diceva un uomo grande e grosso, con un mento mostruoso «non so niente di lui, né in un senso né nell'altro. So soltanto che è morto.»

«Quando è morto?» disse un altro.

«La notte scorsa, credo.»

«Come mai? Che cosa aveva?» chiese un terzo, prendendo da una grandissima tabacchiera una grande quantità di tabacco. «Credevo che non sarebbe morto mai.»

«Lo sa Iddio!» disse il primo, con uno sbadiglio.

«Che ne ha fatto del suo denaro?» chiese un signore dalla faccia rosa, con una escrescenza pendula all'estremità del naso, che tentennava come i bargigli di un tacchino.

«Non lo so» disse l'uomo dal mento grande, con un altro sbadiglio. «L'avrà lasciato alla sua Compagnia, forse. *A me* non l'ha lasciato. Questo è tutto quel che so.»

Questa facezia fu accolta da una risata generale. «Sarà probabilmente un funerale molto economico,» disse quello che aveva parlato prima «perché, quant'è vero che sono vivo, non conosco nessuno che ci andrà. Mettiamoci d'accordo noi e facciamo i volontari.»

«Non ho niente in contrario ad andarci, se ci daranno la colazione» osservò il signore con l'escrescenza sul naso. «Se debbo andare a un funerale, bisogna che mi nutrano.»

Altra risata.

«Allora,» disse quello che aveva parlato per primo «dopo tutto sono io il più disinteressato tra voi, perché non porto mai guanti neri e non faccio mai colazione.

body else will. When I come to think of it, I'm not at all sure that I wasn't his most particular friend; for we used to stop and speak whenever we met. Bye, bye.»

Speakers and listeners strolled away, and mixed with other groups. Scrooge knew the men, and looked towards the Spirit for an explanation.

The Phantom glided on into a street. Its finger pointed to two persons meeting. Scrooge listened again, thinking that the explanation might lie here.

He knew these men, also, perfectly. They were men of aye business, very wealthy, and of great importance. He had made a point always of standing well in their esteem: in a business point of view, that is, strictly in a business point of view.

«How are you?» said one.

«How are you?» returned the other.

«Well» said the first. «Old Scratch has got his own at last, hey?»

«So I am told,» returned the second. «Cold, isn't it?»

«Seasonable for Christmas time. You're not a skater, I suppose?»

«No. No. Something else to think of. Good morning.»

Not another word. That was their meeting, their conversation, and their parting.

Scrooge was at first inclined to be surprised that the Spirit should attach importance to conversations apparently so trivial; but feeling assured that they must have some hidden purpose, he set himself to consider what it was likely to be. They could scarcely be supposed to have any bearing on the death of Jacob, his old partner, for that was Past, and this

Ma mi offro di andarci, se ci andrà qualcun altro. Ora che ci penso, non sono affatto sicuro di non essere stato io il suo più intimo amico, perché tutte le volte che ci incontravamo ci fermavamo sempre a parlare. Arrivederci.»

Tanto quelli che avevano parlato, quanto quelli che avevano ascoltato si dispersero, mescolandosi ad altri gruppi. Scrooge conosceva quegli uomini e guardò verso lo Spirito per avere una spiegazione.

Il Fantasma si diresse verso una strada, indicando col dito due persone che si incontravano. Scrooge tornò ad ascoltare, pensando che qui avrebbe potuto forse essere la spiegazione.

Conosceva benissimo anche loro. Erano uomini d'affari, molto ricchi, di grande importanza. Egli aveva sempre procurato di godere di tutta la loro stima, naturalmente dal punto di vista degli affari, da un punto di vista strettamente di affari.

«Come state?» disse uno.

«Come state?» replicò l'altro.

«Bene» disse il primo. «Finalmente quel vecchio avaro ha avuto quel che si meritava.»

«Così mi dicono» replicò il secondo. «Fa freddo, non vi pare?»

«Oh, siamo nel periodo di Natale. Voi non pattinate, è vero?»

«No, no! Ho ben altro da pensare. Arrivederci.»

Non una parola di più. Questo fu tutto l'incontro, tutta la conversazione e tutta la separazione.

Sulle prime, Scrooge fu alquanto sorpreso che lo Spirito annettesse una qualche importanza a conversazioni apparentemente così futili; ma, essendo certo che queste dovevano avere qualche senso nascosto, si mise a considerare quale potesse essere questo senso. Non era possibile che si riferissero alla morte di Jacob, il suo vecchio socio, perché questi apparte-

Ghost's province was the Future. Nor could he think of any one immediately connected with himself, to whom he could apply them. But nothing doubting that to whomsoever they applied they had some latent moral for his own improvement, he resolved to treasure up every word he heard, and everything he saw; and especially to observe the shadow of himself when it appeared. For he had an expectation that the conduct of his future self would give him the clue he missed, and would render the solution of these riddles easy.

He looked about in that very place for his own image; but another man stood in his accustomed corner, and though the clock pointed to his usual time of day for being there, he saw no likeness of himself among the multitudes that poured in through the Porch. It gave him little surprise, however; for he had been revolving in his mind a change of life, and thought and hoped he saw his new-born resolutions carried out in this.

Quiet and dark, beside him stood the Phantom, with its outstretched hand. When he roused himself from his thoughtful quest, he fancied from the turn of the hand, and its situation in reference to himself, that the Unseen Eyes were looking at him keenly. It made him shudder, and feel very cold.

They left the busy scene, and went into an obscure part of the town, where Scrooge had never penetrated before, although he recognised its situation, and its bad repute. The ways were foul and narrow; the shops and houses wretched; the people half-naked, drunken, slipshod, ugly. Alleys and archways, like so many cesspools, disgorged their offences of smell, and

neva al Passato, mentre il dominio di questo **Spirito** era il Futuro. Neppure poteva pensare a qualcuno immediatamente vicino a lui, al quale potesse applicarle. Ma, non avendo il minimo dubbio che, a chiunque si riferissero, contenevano una morale latente destinata al suo miglioramento, risolse di tesoreggiare ogni parola che udiva e ogni cosa che vedeva e specialmente di osservare l'ombra di se stesso quando apparisse, perché si aspettava che la condotta del suo io futuro gli avrebbe dato la chiave che gli mancava e avrebbe reso facile la soluzione di questi enigmi.

Diede un'occhiata in giro cercando l'immagine di se stesso; ma nel suo angolo solito c'era un altro uomo e, benché l'orologio segnasse l'ora nella quale egli era solito trovarvisi, non vide nessuna immagine di se stesso nella moltitudine che entrava attraverso il portico. La cosa non lo sorprese affatto, perché stava già meditando di cambiar vita e pensava e sperava di vedere i suoi nuovi proponimenti tradotti in atto in questa.

Il Fantasma gli stava al fianco silenzioso e scuro, sempre con la mano tesa. Quando Scrooge si riscosse dalla sua meditazione, intuì dalla direzione della mano e dalla posizione di questa in riguardo a lui stesso che gli occhi invisibili lo stavano guardando intensamente, il che gli diede un brivido e un gran senso di freddo.

Lasciarono quella scena movimentata e si recarono in una parte oscura della città dove Scrooge non era mai penetrato prima, per quanto ne conoscesse l'ubicazione e la cattiva fama. Le strade erano sporche e strette, le botteghe e le case in rovina, la gente seminuda, ubriaca, in ciabatte, brutta. Vicoli e porte, come altrettante latrine, lasciavano uscire nelle strade affollate i loro fetori, la loro immondizia e la loro

dirt, and life, upon the straggling streets; and the whole quarter reeked with crime, with filth, and misery.

Far in this den of infamous resort, there was a
low-browed, beetling shop, below a pent-house roof,
where iron, old rags, bottles, bones, and greasy offal,
were bought. Upon the floor within, were piled up
heaps of rusty keys, nails, chains, hinges, files, scales, weights, and refuse iron of all kinds. Secrets that
few would like to scrutinise were bred and hidden in
mountains of unseemly rags, masses of corrupted
fat, and sepulchres of bones. Sitting in among the
wares he dealt in, by a charcoal stove, made of old
bricks, was a grey-haired rascal, nearly seventy years
of age; who had screened himself from the cold air
without, by a frousy curtaining of miscellaneous tat-
ters, hung upon a line; and smoked his pipe in all the
luxury of calm retirement.

Scrooge and the Phantom came into the presence
of this man, just as a woman with a heavy bundle
slunk into the shop. But she had scarcely entered,
when another woman, similarly laden, came in too;
and she was closely followed by a man in faded
black, who was no less startled by the sight of them,
than they had been upon the recognition of each
other. After a short period of blank astonishment, in
which the old man with the pipe had joined them,
they all three burst into a laugh.

«Let the charwoman alone to be the first» cried
she who had entered first. «Let the laundress alone
to be the second; and let the undertaker's man alone
to be the third. Look here, old Joe, here's a chance! If
we haven't all three met here without meaning it.»

vita ripugnanti e l'intero quartiere puzzava di delitto, di sporcizia e di miseria.

Ben dentro questo infame quartiere c'era una botteguccia dalla porta bassa, a strapiombo sotto il tetto di una baracca, nella quale si comprava ferro vecchio, stracci, bottiglie, ossa e ogni sorta di rifiuti untuosi. Nell'interno, cumuli di chiavi arrugginite, chiodi, catene, cardini, lime, bilance, pesi e ferro vecchio di ogni genere si ammucchiavano sul pavimento. Montagne di stracci ripugnanti, masse di grasso corrotto e sepolcri di ossa nutrivano e celavano segreti che ben pochi avrebbero avuto voglia di indagare. Seduto fra la merce nella quale negoziava, accanto a un braciere fatto di mattoni vecchi, c'era un mascalzone dai capelli canuti, che poteva avere circa settant'anni, il quale si proteggeva dal freddo esterno per mezzo di un paravento di stracci svariati appesi a una corda e stava fumando la pipa, con tutto il compiacimento di un individuo tranquillo.

Scrooge e il Fantasma giunsero alla presenza di quest'uomo nel momento stesso nel quale una donna con un pesante fagotto penetrava nella bottega. Ma questa era appena entrata, allorché un'altra donna, carica come lei, entrò a sua volta, seguita immediatamente da un uomo vestito di un nero scolorito, che nel vederle fu altrettanto stupito quanto esse lo erano state nel riconoscersi reciprocamente. Dopo un breve periodo di muto stupore, dal quale era stato colpito anche il vecchio con la pipa, tutti e tre scoppiarono in una risata.

«Fate parlare prima la donna di fatica» gridò quella che era entrata per prima. «Lasciate parlare al secondo posto la lavandaia, e che l'impiegato delle pompe funebri sia il terzo. Ma vedete un po' che combinazione, caro Joe! Ci siamo incontrati qui tutti e tre, senza averne l'intenzione.»

«You couldn't have met in a better place» said old Joe, removing his pipe from his mouth.

«Come into the parlour. You were made free of it long ago, you know; and the other two an't strangers. Stop till I shut the door of the shop. Ah! How it skreeks! There an't such a rusty bit of metal in the place as its own hinges, I believe; and I'm sure there is no such old bones here, as mine. Ha, ha! We're all suitable to our calling, we're well matched. Come into the parlour. Come into the parlour.»

The parlour was the space behind the screen of rags. The old man raked the fire together with an old stair-rod, and having trimmed his smoky lamp (for it was night), with the stem of his pipe, put it in his mouth again.

While he did this, the woman who had already spoken threw her bundle on the floor, and sat down in a flaunting manner on a stool; crossing her elbows on her knees, and looking with a bold defiance at the other two.

«What odds then? What odds, Mrs Dilber?» said the woman. «Every person has a right to take care of themselves. *H*e always did.»

«That's true, indeed» said the laundress. «No man more so.»

«Why then, don't stand staring as if you was afraid, woman; who's the wiser? We're not going to pick holes in each other's coats, I suppose?»

«No, indeed!» said Mrs Dilber and the man together. «We should hope not.»

«Very well, then» cried the woman. «That's enough. Who's the worse for the loss of a few things like these? Not a dead man, I suppose.»

«No, indeed» said Mrs Dilber, laughing.

«If he wanted to keep them after he was dead, a

«Non avreste potuto incontrarvi in un luogo migliore» disse il vecchio Joe, togliendosi la pipa di bocca.

«Venite nel salotto. Voi ci siete già stata ammessa da un pezzo, e gli altri due non sono degli sconosciuti. Aspettate che chiuda la porta di bottega. Ah, come cigola! Credo che in tutta questa bottega non ci sia un pezzo di metallo che sia rugginoso come quei cardini; e son sicuro che non ci sono ossa vecchie quanto le mie. Ah, ah! Siamo tutti intonati con la nostra professione e stiamo bene insieme. Venite in salotto. Venite in salotto.»

Il salotto era lo spazio dietro la cortina di stracci. Il vecchio riassettò il fuoco con un vecchio pezzo di ringhiera da scale, e avendo rimontato il lume fumoso col bocchino della pipa, giacché era già notte, tornò a cacciarsi questo in bocca.

Mentre faceva queste cose, la donna che aveva già parlato gettò il fagotto in terra e si sedette su un panchetto in atteggiamento insolente, incrociando i gomiti sulle ginocchia e guardando gli altri due in atto di sfida.

«Che vi pare? Che vi pare, signora Dilber?» disse la donna. «Ciascuno ha il diritto di pensare a se stesso. *Lui* l'ha sempre fatto.»

«Questo è proprio vero» disse la lavandaia. «Nessuno più di lui.»

«E allora non state lì a guardarmi con quell'aria spaventata. Non fate la furba. Non credo che siamo qui per farci del male.»

«No davvero» dissero insieme la signora Dilber e l'uomo. «Speriamo di no.»

«Benissimo, allora!» gridò la donna. «Basta così. A chi può far danno la perdita di poche cosette come queste? A un morto no di certo, mi pare.»

«No davvero» disse la signora Dilber, ridendo.

«Se quel vecchio avaro maledetto voleva conser-

wicked old screw,» pursued the woman «why wasn't he natural in his lifetime? If he had been, he'd have had somebody to look after him when he was struck with Death, instead of lying gasping out his last there, alone by himself.»

«It's the truest word that ever was spoke,» said Mrs Dilber. «It's a judgement on him.»

«I wish it was a little heavier judgement,» replied the woman; «and it should have been, you may depend upon it, if I could have laid my hands on anything else. Open that bundle, old Joe, and let me know the value of it. Speak out plain. I'm not afraid to be the first, nor afraid for them to see it. We know pretty well that we were helping ourselves, before we met here, I believe. It's no sin. Open the bundle, Joe.»

But the gallantry of her friends would not allow of this; and the man in faded black, mounting the breach first, produced his plunder. It was not extensive. A seal or two, a pencil-case, a pair of sleeve-buttons, and a brooch of no great value, were all. They were severally examined and appraised by old Joe, who chalked the sums he was disposed to give for each, upon the wall, and added them up into a total when he found there was nothing more to come.

«That's your account» said Joe, «and I wouldn't give another sixpence, if I was to be boiled for not doing it. Who's next?»

Mrs Dilber was next. Sheets and towels, a little wearing apparel, two old-fashioned silver teaspoons, a pair of sugar-tongs, and a few boots. Her account was stated on the wall in the same manner.

«I always give too much to ladies. It's a weakness of mine, and that's the way I ruin myself» said old Joe. «That's your account. If you asked me for

varle dopo morto» proseguì la donna «perché non ha agito in modo più naturale durante la sua vita? Se lo avesse fatto, avrebbe avuto qualcuno accanto quando la morte l'ha colpito, invece di esser lì, steso a lottare per il suo ultimo respiro, completamente solo.»

«Questa è la parola più giusta che sia mai stata detta» disse la signora Dilber; «è una condanna per lui.»

«Vorrei che la condanna fosse un po' più pesante» replicò la donna; «e certo lo sarebbe stata, credete a me, se avessi potuto metter le mani su qualche altra cosa. Aprite quel fagotto, vecchio Joe, e fatemi sapere quel che vale. Parlate sinceramente; non ho paura di esser la prima, e neanche ho paura che quegli altri lo vedano. Sapevamo benissimo, anche prima di incontrarci qui, che ciascuno di noi si era servito. Non è peccato. Aprite il fagotto, Joe.»

Ma la galanteria dei suoi amici non lo permise, e l'uomo col vestito nero scolorito, lanciandosi primo all'assalto, presentò il suo bottino. Non era molto considerevole. Un sigillo o due, un portamatite, un paio di gemelli da polso e una spilla di scarso valore; nient'altro. Gli oggetti vennero esaminati e stimati uno per uno dal vecchio Joe, il quale scrisse sul muro col gesso la cifra che era disposto a dare per ciascuno, e fece la somma, quando vide che non c'era più altro.

«Questo è il vostro conto» disse Joe «e non vi darò un altro mezzo scellino, neanche se dovessi esser messo nell'acqua bollente. A chi tocca?»

Toccava alla signora Dilber. Lenzuoli e salviette, un po' di biancheria, due cucchiaini da tè di vecchio stile, un paio di pinzette da zucchero e delle scarpe. Anche il suo conto venne scritto sul muro allo stesso modo.

«Io do sempre troppo alle signore. È la mia debolezza, e così vado in rovina» disse il vecchio Joe. «Ecco il vostro conto. Se mi chiedete un altro soldo e ne

another penny, and made it an open question, I'd re-
pent of being so liberal and knock off half-a-crown.»

«And now undo my bundle, Joe» said the first woman.

Joe went down on his knees for the greater conve-
nience of opening it, and having unfastened a great
many knots, dragged out a large and heavy roll of
some dark stuff.

«What do you call this?» said Joe. «Bed-curtains!»

«Ah» returned the woman, laughing and leaning
forward on her crossed arms. «Bed-curtains!»

«You don't mean to say you took 'em down, rings
and all, with him lying there?» said Joe.

«Yes I do,» replied the woman. «Why not?»

«You were born to make your fortune» said Joe,
«and you'll certainly do it.»

«I certainly shan't hold my hand, when I can get
anything in it by reaching it out, for the sake of such
a man as he was, I promise you, Joe,» returned the
woman coolly. «Don't drop that oil upon the
blankets, now.»

«His blankets?» asked Joe.

«Whose else's do you think?» replied the woman.
«He isn't likely to take cold without 'em, I dare say.»

«I hope he didn't die of anything catching? Eh?»
said old Joe, stopping in his work, and looking up.

«Don't you be afraid of that,» returned the woman. «I an't so fond of his company that I'd loiter
about him for such things, if he did. Ah, you may
look through that shirt till your eyes ache; but you
won't find a hole in it, nor a threadbare place. It's the
best he had, and a fine one too. They'd have wasted
it, if it hadn't been for me.»

fate una questione, mi pentirò di essere stato così liberale e vi farò una tara di mezza corona.»

«E ora, disfate il mio fagotto, Joe» disse la prima delle donne.

Joe si mise in ginocchio per aprirlo più facilmente e, dopo avere sciolto una gran quantità di nodi, tirò fuori un grande e pesante rotolo di stoffa scura.

«Che roba è questa?» disse Joe. «Cortine da letto!»

«Ah» replicò la donna, ridendo e piegandosi in avanti sulle braccia incrociate. «Cortine da letto!»

«Non vorrete mica dire che le avete tirate giù con gli anelli e tutto, mentre lui c'era ancora disteso?» disse Joe.

«Certo» replicò la donna. «Perché no?»

«Siete nata per far fortuna» disse Joe «e certamente ci riuscirete.»

«Non sarò certo io a fermare le mie mani per amore di un uomo come quello, quando basta stenderle per avere qualcosa; questo ve lo assicuro, Joe» replicò freddamente la donna. «Non fate gocciolare quell'olio sulle coperte!»

«Le sue coperte?» chiese Joe.

«E di chi altro credete che siano?» rispose la donna. «Non mi sembra probabile che prenda freddo se non le ha.»

«Spero che non sia morto di qualche cosa di contagioso, eh?» disse il vecchio Joe, interrompendo il suo lavoro e alzando la testa.

«Non abbiate paura di questo» rispose la donna. «Se così fosse stato, la sua compagnia non sarebbe stata certo così attraente da farmi restar lì vicino per cose come queste. Potete guardare attraverso quella camicia finché gli occhi non vi faranno male, ma non ci troverete né un buco né un rammendo. È la migliore che aveva ed è veramente bella. Se non l'avessi presa io, sarebbe andata sprecata.»

«What do you call wasting of it?» asked old Joe.

«Putting it on him to be buried in, to be sure» replied the woman with a laugh. «Somebody was fool enough to do it, but I took it off again. If calico an't good enough for such a purpose, it isn't good enough for anything. It's quite as becoming to the body. He can't look uglier than he did in that one.»

Scrooge listened to this dialogue in horror. As they sat grouped about their spoil, in the scanty light afforded by the old man's lamp, he viewed them with a detestation and disgust, which could hardly have been greater, though the demons, marketing the corpse itself.

«Ha, ha!» laughed the same woman, when old Joe, producing a flannel bag with money in it, told out their several gains upon the ground. «This is the end of it, you see. He frightened every one away from him when he was alive, to profit us when he was dead. Ha, ha, ha!»

«Spirit!» said Scrooge, shuddering from head to foot. «I see, I see. The case of this unhappy man might be my own. My life tends that way, now. Merciful Heaven, what is this?»

He recoiled in terror, for the scene had changed, and now he almost touched a bed: a bare, uncurtained bed, on which, beneath a ragged sheet, there lay a something covered up, which, though it was dumb, announced itself in awful language.

The room was very dark, too dark to be observed with any accuracy, though Scrooge glanced round it in obedience to a secret impulse, anxious to know what kind of room it was. A pale light, rising in the

«Sprecata? Che cosa intendete dire?» chiese il vecchio Joe.

«Certo, gliel'avrebbero messa addosso per seppellirlo» replicò la donna con una risata. «C'era stato qualcuno abbastanza stupido da farlo, ma io gliel'ho tolta. Se il cotone non è abbastanza buono per uno scopo simile, vuol dire che non è buono a niente. Per quel corpo è proprio quel che ci vuole; non può essere più brutto di quanto fosse quando aveva indosso questa.»

Scrooge ascoltava con orrore questo dialogo. Li guardava, mentre stavano seduti in gruppo intorno alla loro preda, nella misera luce che dava la lampada del vecchio, con un odio e un disgusto che non avrebbero potuto essere più grandi se si fosse trattato di demoni osceni che avessero messo in vendita addirittura la salma.

«Eh, eh!» rise la stessa donna, quando il vecchio Joe, tirando fuori un sacchetto di flanella pieno di denaro, pagò loro sul pavimento i loro rispettivi guadagni. «Così è andata a finire, vedete. Da vivo spaventava tutti per tenerli lontani, e così ci ha fatto guadagnare da morto!»

Scrooge disse, tremando da capo a piedi:

«Spirito! Vedo, vedo: il caso di questo disgraziato potrebbe essere il mio. La mia vita conduce per quella strada. Ma, Dio, che cosa è mai questo?»

Il terrore gli fece fare un passo indietro, perché la scena era cambiata ed egli ora quasi toccava un letto; un letto spoglio e senza cortine, sul quale, coperta da un lacero lenzuolo, giaceva una cosa, la quale, benché muta, si annunciava con un linguaggio tremendo.

La camera era molto buia, troppo buia perché si potesse osservarla accuratamente, sebbene Scrooge, obbedendo a un impulso segreto, guardasse in giro, ansioso di conoscere di che razza di camera si trattasse. Una luce fioca, che aveva nell'aria esterna la

outer air, fell straight upon the bed; and on it, plundered and bereft, unwatched, unwept, uncared for, was the body of this man.

Scrooge glanced towards the Phantom. Its steady hand was pointed to the head. The cover was so carelessly adjusted that the slightest raising of it, the motion of a finger upon Scrooge's part, would have disclosed the face. He thought of it, felt how easy it would be to do, and longed to do it; but had no more power to withdraw the veil than to dismiss the spectre at his side.

Oh cold, cold, rigid, dreadful Death, set up thine altar here, and dress it with such terrors as thou hast at thy command: for this is thy dominion! But of the loved, revered, and honoured head, thou canst not turn one hair to thy dread purposes, or make one feature odious. It is not that the hand is heavy and will fall down when released; it is not that the heart and pulse are still; but that the hand was open, generous, and true; the heart brave, warm, and tender; and the pulse a man's. Strike, Shadow, strike! And see his good deeds springing from the wound, to sow the world with life immortal.

No voice pronounced these words in Scrooge's ears, and yet he heard them when he looked upon the bed. He thought, if this man could be raised up now, what would be his foremost thoughts. Avarice, hard-dealing, griping cares. They have brought him to a rich end, truly!

He lay, in the dark empty house, with not a man, a woman, or a child, to say that he was kind to me in

sua origine, cadeva diritta sul letto; e su questo, derubato, spogliato, senza nessuno che lo vegliasse, nessuno che lo piangesse, nessuno che si curasse di lui, stava il cadavere di quest'uomo.

Scrooge guardò verso il Fantasma. La mano ferma di questo era puntata verso la testa. La coperta era stata messa con così poca attenzione, che bastava sollevarla appena, bastava il moto di un dito da parte di Scrooge per scoprire la faccia. Questi ci pensò, si rese conto della facilità con la quale poteva farlo, e ne ebbe il desiderio; ma era non meno incapace di tirar giù quel velo che di scacciare lo spirito che gli stava a fianco.

Oh, Morte, fredda, rigida, tremenda! Qui puoi erigere il tuo altare e adornarlo di tutti i terrori che hai al tuo comando, perché questo è il tuo dominio! Per contro, da una testa che sia amata, rispettata e onorata tu non puoi strappare un solo capello per i tuoi scopi spaventevoli, né rendere odioso uno solo dei suoi lineamenti. Anche se la mano è pesante e ricade quando vien sollevata, anche se il cuore e il polso sono immobili, ciò che conta è che la mano sia stata aperta, generosa e sincera, il cuore coraggioso, caldo e tenero, il polso, il polso di un uomo. Colpisci, Ombra, colpisci! E vedrai le sue buone azioni sprizzar fuori dalle ferite per seminare nel mondo la vita immortale.

Queste parole non furono pronunciate da nessuna voce all'orecchio di Scrooge, e tuttavia questi le udì nel momento in cui guardò il letto e pensò: «Se quest'uomo potesse risorgere in questo momento, quali sarebbero i suoi primi pensieri: l'avarizia, la durezza, la preoccupazione del guadagno? Davvero, l'hanno condotto a una bella fine!».

Giaceva nella casa scura e vuota, senza che un uomo, una donna o un bambino dicesse: «È stato buo-

this or that, and for the memory of one kind word I will be kind to him. A cat was tearing at the door, and there was a sound of gnawing rats beneath the hearth-stone. What they wanted in the room of death, and why they were so restless and disturbed, Scrooge did not dare to think.

«Spirit,» he said «this is a fearful place. In leaving it, I shall not leave its lesson, trust me. Let us go!»

Still the Ghost pointed with an unmoved finger to the head.

«I understand you,» Scrooge returned, «and I would do it, if I could. But I have not the power, Spirit. I have not the power.»

Again it seemed to look upon him.

«If there is any person in the town, who feels emotion caused by this man's death,» said Scrooge quite agonised, «show that person to me, Spirit, I beseech you!»

The Phantom spread its dark robe before him for a moment, like a wing; and withdrawing it, revealed a room by daylight, where a mother and her children were.

She was expecting some one, and with anxious eagerness; for she walked up and down the room; started at every sound; looked out from the window; glanced at the clock; tried, but in vain, to work with her needle; and could hardly bear the voices of the children in their play.

At length the long-expected knock was heard. She hurried to the door, and met her husband; a man whose face was careworn and depressed, though he was young. There was a remarkable expression in it now; a kind of serious delight of which he felt ashamed, and which he struggled to repress.

He sat down to the dinner that had been boarding for him by the fire; and when she asked him faintly

no con me in questa o quella occasione e, per il ricordo di una parola buona, voglio esser buono con lui». Un gatto stava grattando alla porta e si udiva un rumore di topi che rosicchiavano sotto le pietre del focolare. Che cosa cercassero in quella stanza della morte e perché fossero tanto irrequieti e agitati, Scrooge non ebbe il coraggio di pensarlo.

«Spirito,» disse «questo è un luogo spaventoso. Quando lo lasceremo, non lascerò qui la lezione che ne emana, siatene certo. Andiamo via!»

Lo Spirito col dito immobile continuava ad additare la testa.

«Vi capisco» rispose Scrooge «e lo farei se potessi. Ma non ne ho la forza, Spirito. Non ne ho la forza.»

Parve di nuovo che guardasse lui.

«Se c'è una persona in tutta la città che prova una qualche emozione in seguito alla morte di quest'uomo,» disse Scrooge, profondamente tormentato «fatemi vedere quella persona, Spirito. Ve ne supplico!»

Il Fantasma per un momento aprì davanti a sé la sua veste scura come un'ala; e, ritirandola, rivelò una stanza illuminata dalla luce del giorno, nella quale c'era una madre coi suoi bambini.

Aspettava qualcuno, e con viva ansietà, giacché passeggiava in su e in giù per la stanza, trasaliva a ogni rumore, guardava fuori dalla finestra, dava occhiate all'orologio, tentava invano di lavorare con l'ago, e poteva appena sopportare la voce dei bambini che giocavano.

Finalmente si sentì bussare alla porta. Si affrettò verso di questa e incontrò il marito, un uomo dal volto angustiato e depresso benché giovane. Su quel volto c'era ora un'espressione strana: una specie di serio compiacimento, di cui provava vergogna e che lottava per reprimere.

Si sedette alla tavola apparecchiata per lui presso il fuoco; e quando essa gli chiese a bassa voce che co-

what news (which was not until after a long silence),
he appeared embarrassed how to answer.

«Is it good» she said, «or bad?» – to help him.

«Bad» he answered.

«We are quite ruined?»

«No. There is hope yet, Caroline.»

«If *he* relents,» she said, amazed, «there is!
Nothing is past hope, if such a miracle has happened.»

«He is past relenting,» said her husband. «He is
dead.»

She was a mild and patient creature if her face
spoke truth; but she was thankful in her soul to hear
it, and she said so, with clasped hands. She prayed
forgiveness the next moment, and was sorry; but the
first was the emotion of her heart.

«What the half-drunken woman whom I told you
of last night said to me when I tried to see him and
obtain a week's delay; and what I thought was a mere
excuse to avoid me; turns out to have been quite
true. He was not only very ill, but dying, then.»

«To whom will our debt be transferred?»

«I don't know. But before that time we shall be
ready with the money; and even though we were not,
it would be a bad fortune indeed to find so merciless
a creditor in his successor. We may sleep tonight
with light hearts, Caroline.»

Yes. Soften it as they would, their hearts were lighter. The children's faces, hushed and clustered
round to hear what they so little understood, were
brighter; and it was a happier house for this man's

sa c'era di nuovo, il che non accadde se non dopo un lungo silenzio, parve imbarazzato a trovare una risposta.

«Buone nuove, o cattive?» disse, per aiutarlo.

«Cattive» rispose lui.

«Siamo completamente rovinati?»

«No, Carolina, c'è ancora una speranza.»

«Sì,» disse lei, meravigliata «c'è una speranza, se lui si muove a compassione! La speranza non è morta se un miracolo simile è accaduto.»

«Non è più capace di compassione» disse il marito. «È morto!»

Se il volto di lei diceva il vero, era una creatura dolce e paziente; tuttavia, in fondo al cuore, fu lieta di sentire questa notizia, e lo disse giungendo le mani. Nel momento immediatamente seguente se ne pentì e pregò per essere perdonata; ma la vera emozione del suo cuore era la prima.

«Quel che mi disse la donna mezzo ubriaca di cui ti parlai ieri sera quando tentai di vederlo per ottenere una dilazione di una settimana, e che credevo soltanto un pretesto qualunque per tenermi lontano, si è dimostrato perfettamente esatto. In quel momento, non solo era gravemente ammalato, ma addirittura morente.»

«A chi sarà trasferito il nostro debito?»

«Non so. Ma prima di allora avremo il denaro pronto. E se anche non lo avessimo, sarebbe veramente il colmo della disgrazia se trovassimo nel suo successore un creditore così spietato come lui. Stanotte possiamo dormire col cuore più leggero, Carolina.»

Sì, per quanto tentassero di render meno duro il loro cuore, tuttavia lo sentivano più leggero; e il volto dei bimbi, che si erano raccolti in silenzio intorno a loro per ascoltare cose di cui capivano tanto poco, era più raggiante; e tutta la casa era più felice, per-

death. The only emotion that the Ghost could show him, caused by the event, was one of pleasure.

«Let me see some tenderness connected with a death,» said Scrooge «or that dark chamber, Spirit, which we left just now, will be for ever present to me.»

The Ghost conducted him through several streets familiar to his feet; and as they went along, Scrooge looked here and there to find himself, but nowhere was he to be seen. They entered poor Bob Cratchit's house; the dwelling he had visited before; and found the mother and the children seated round the fire.

Quiet. Very quiet. The noisy little Cratchits were as still as statues in one corner, and sat looking up at Peter, who had a book before him. The mother and her daughters were engaged in sewing. But surely they were very quiet.

«And he took a child, and set him in the midst of them.»

Where had Scrooge heard those words? He had not dreamed them. The boy must have read them out, as he and the Spirit crossed the threshold. Why did he not go on?

The mother laid her work upon the table, and put her hand up to her face.

«The colour hurts my eyes» she said.

The colour?. Ah, poor Tiny Tim!

«They're better now again,» said Cratchit's wife. «It makes them weak by candle-light; and I wouldn't show weak eyes to your father when he comes home, for the world. It must be near his time.»

«Past it rather,» Peter answered, shutting up his

ché quell'uomo era morto! L'unica emozione provocata da quell'avvenimento che lo Spettro potesse mostrargli era un'emozione di piacere.

«Fatemi vedere un po' di tenerezza connessa con una morte» disse Scrooge «altrimenti, Spirito, quella stanza scura da cui siamo usciti proprio adesso mi rimarrà presente eternamente nella memoria.»

Lo Spirito lo condusse attraverso varie strade a lui ben note; e mentre procedevano innanzi, Scrooge guardava qua e là per trovare se stesso, ma non riusciva a vederlo in nessun luogo. Entrarono nella casa del povero Bob Cratchit, quella stessa abitazione che aveva visitato prima, e trovarono la madre e i bambini seduti intorno al fuoco.

Tranquilli; molto tranquilli. Quei piccoli Cratchit, così rumorosi, se ne stavano in un angolo, fermi come statue, seduti a guardare Peter che aveva un libro davanti a sé. La madre e le figliole erano occupate a cucire. Ma certo erano molto tranquilli.

«Ed egli prese un fanciullo e lo collocò in mezzo a loro.»

Quando aveva udito quelle parole? Scrooge non le aveva sognate. Il ragazzo doveva averle lette ad alta voce, nel momento in cui egli e lo Spirito varcavano la soglia. Perché non continuò a leggere?

La madre depose il lavoro sulla tavola e si coprì la faccia con le mani.

«Il colore mi fa male agli occhi» disse.

Il colore? Ahimè, povero Tim il Piccolino!

«Ora sto meglio» disse la moglie di Cratchit. «La luce della candela li indebolisce, e per tutto l'oro del mondo non vorrei farmi vedere con gli occhi stanchi da vostro padre quando tornerà a casa. Ormai deve esser quasi l'ora.»

«Anzi è passata,» rispose Peter, chiudendo il libro

book. «But I think he has walked a little slower than he used, these few last evenings, mother.»

They were very quiet again. At last she said, and in a steady, cheerful voice, that only faltered once: «I have known him walk with... I have known him walk with Tiny Tim upon his shoulder, very fast indeed.»

«And so have I» cried Peter. «Often.»

«And so have I» exclaimed another. So had all.

«But he was very light to carry,» she resumed, intent upon her work, «and his father loved him so, that it was no trouble: no trouble. And there is your father at the door.»

She hurried out to meet him; and little Bob in his comforter – he had need of it, poor fellow – came in. His tea was ready for him on the hob, and they all tried who should help him to it most. Then the two young Cratchits got upon his knees and laid, each child a little cheek, against his face, as if they said, «Don't mind it, father. Don't be grieved».

Bob was very cheerful with them, and spoke pleasantly to all the family. He looked at the work upon the table, and praised the industry and speed of Mrs Cratchit and the girls. They would be done long before Sunday, he said.

«Sunday! You went today, then, Robert?» said his wife.

«Yes, my dear» returned Bob. «I wish you could have gone. It would have done you good to see how green a place it is. But you'll see it often. I promised him that I would walk there on a Sunday. My little, little child!» cried Bob. «My little child!»

He broke down all at once. He couldn't help it. If

«ma credo che queste ultime sere abbia camminato più adagio del solito.»

Tornarono a essere molto tranquilli. Ella finalmente disse, con una voce ferma e gaia, che tremò una volta sola:

«Mi ricordo di averlo visto... mi ricordo di averlo visto camminare molto svelto con Tim il Piccolino sulle spalle.»

«Anch'io» gridò Peter «spesso.»

«Anch'io» esclamò un altro. Tutti lo avevano visto così.

«Ma era molto leggero da portare» riprese lei, intenta al suo lavoro. «E suo padre lo amava tanto che per lui non era nessun fastidio; nessuno. Ma ecco vostro padre alla porta.»

Gli corse incontro, ed entrò il piccolo Bob con la sua sciarpa, e ne aveva ben bisogno, disgraziato. Sulla placca del caminetto c'era il tè pronto per lui, e tutti fecero a gara per servirlo. Poi, i due giovani Cratchit gli si arrampicarono sulle ginocchia e ciascuno di essi appoggiò la sua piccola guancia contro il viso di lui, come se avesse voluto dire: «Non ci pensare, papà; non ti affliggere».

Bob fu molto allegro con loro e parlò piacevolmente con tutta la famiglia. Diede un'occhiata al lavoro sulla tavola ed elogiò l'attività e la rapidità della signora Cratchit e delle ragazze. Avrebbero finito molto prima di domenica, disse.

«Domenica! Dunque, sei andato oggi, Robert?» disse la moglie.

«Sì, mia cara» rispose Bob. «Avresti dovuto venire anche tu. Ti avrebbe fatto bene vedere com'è verde il posto. Ma lo vedrai spesso. Gli ho promesso che ci sarei andato la domenica. Il mio bambino!» gridò Bob. «Il mio piccolo bambino!»

Il suo collasso fu totale e subitaneo. Non poteva far-

he could have helped it, he and his child would have been farther apart perhaps than they were.

He left the room, and went upstairs into the room above, which was lighted cheerfully, and hung with Christmas. There was a chair set close beside the child, and there were signs of someone having been there, lately. Poor Bob sat down in it, and when he had thought a little and composed himself, he kissed the little face. He was reconciled to what had happened, and went down again quite happy.

They drew about the fire, and talked; the girls and mother working still. Bob told them of the extraordinary kindness of Mr Scrooge's nephew, whom he had scarcely seen but once, and who, meeting him in the street that day, and seeing that he looked a little «just a little down, you know» said Bob, inquired what had happened to distress him. «On which,» said Bob «for he is the pleasantest spoken gentleman you ever heard, I told him. "I am heartily sorry for it, Mr Cratchit," he said "and heartily sorry for your good wife." By the bye, how he ever knew *that*, I don't know.»

«Knew what, my dear?»

«Why, that you were a good wife» replied Bob.

«Everybody knows that» said Peter.

«Very well observed, my boy» cried Bob. «I hope they do. "Heartily sorry" he said, "for your good wife. If I can be of service to you in any way" he said, giving me his card, "that's where I live. Pray come to me". Now, it wasn't,» cried Bob, «for the sake of anything he might be able to do for us, so much as for his kind way, that this was quite delightful. It

ci niente. Se avesse potuto farci qualcosa, forse lui e il suo bambino sarebbero stati ancor più separati di quanto non erano in realtà.

Uscì dalla stanza e salì in quella al piano di sopra, che era gaiamente illuminata e decorata come per il Natale. Una sedia era collocata vicinissima al bambino e c'erano i segni che qualcuno l'aveva occupata poco prima. Il povero Bob vi si sedette e, dopo aver pensato per un momento e aver riacquistato la calma, baciò quel visino. Si era rassegnato a ciò che era accaduto e ridiscese pienamente felice.

Si strinsero attorno al fuoco e parlarono, mentre la fanciulla e la madre continuavano a lavorare. Bob disse loro della straordinaria gentilezza del nipote del signor Scrooge, che egli aveva appena visto una volta sola e che, incontrandolo per strada, quel giorno, e vedendo che aveva l'aspetto «sapete, leggermente abbattuto», disse Bob, gli aveva chiesto che cosa di spiacevole gli fosse accaduto. «Al che» disse Bob «gliel'ho raccontato, perché quello è il signore più cortese che si possa mai vedere. "Me ne rincresce molto, signor Cratchit" ha detto "e ne sono profondamente dolente per la vostra buona moglie". Tra parentesi, non so come sapesse *questo*.»

«Come sapesse che cosa, caro?»

«Ma, che tu sei una buona moglie» replicò Bob.

«Lo sanno tutti» disse Peter.

«Giustissimo, ragazzo mio» disse Bob. «Spero che tutti lo sappiano. "Me ne rincresce profondamente" mi ha detto "per la vostra buona moglie. Se posso esservi utile in qualche cosa" ha aggiunto, dandomi il suo biglietto da visita "eccovi il mio indirizzo. Vi prego di venire da me." Non era tanto per quello che potrebbe essere in grado di fare per noi» disse Bob «quanto per quel suo modo gentile, che tutto questo era talmente simpa-

really seemed as if he had known our Tiny Tim, and felt with us.»

«I'm sure he's a good soul» said Mrs Cratchit.

«You would be surer of it, my dear,» returned Bob, «if you saw and spoke to him. I shouldn't be at all surprised – mark what I say – if he got Peter a better situation.»

«Only hear that, Peter» said Mrs Cratchit.

«And then,» cried one of the girls, «Peter will be keeping company with some one, and setting up for himself.»

«Get along with you!» retorted Peter, grinning.

«It's just as likely as not» said Bob, «one of these days; though there's plenty of time for that, my dear. But however and when ever we part from one another, I am sure we shall none of us forget poor Tiny Tim – shall we – or this first parting that there was among us?»

«Never, father» cried they all.

«And I know» said Bob, «I know, my dears, that when we recollect how patient and how mild he was; although he was a little, little child; we shall not quarrel easily among ourselves, and forget poor Tiny Tim in doing it.»

«No, never, father» they all cried again.

«I am very happy,» said little Bob «I am very happy.»

Mrs Cratchit kissed him, his daughters kissed him, the two young Cratchits kissed him, and Peter and himself shook hands. Spirit of Tiny Tim, thy childish essence was from God!

«Spectre,» said Scrooge, «something informs me that our parting moment is at hand. I know it, but I know not how. Tell me what man that was whom we saw lying dead?»

tico. Pareva quasi che avesse conosciuto il nostro Tim il Piccolino e che condividesse i nostri sentimenti.»

«Sono sicura che è un'anima buona» disse la signora Cratchit.

«Ne saresti più sicura, mia cara,» replicò Bob «se tu lo vedessi e gli parlassi. E bada a quel che ti dico; non sarei sorpreso per niente se trovasse un posto migliore per Peter.»

«Hai sentito, Peter?» disse la signora Cratchit.

«E allora» disse una delle ragazze «Peter si troverà compagnia e si stabilirà per conto suo.»

«Ma va' via!» replicò Peter, ridendo.

«È abbastanza probabile» disse Bob «uno di questi giorni; benché, mio caro, per questo ci sia ancora tutto il tempo. Ma quando ci separeremo, in un modo qualsiasi, son certo che nessuno di noi dimenticherà il povero Tim il Piccolino; non è vero, e nemmeno per questa prima separazione che ha avuto luogo tra noi?»

«Mai, papà!» gridarono tutti.

«E so,» disse Bob «so, cari miei, che quando ricorderemo la sua pazienza e la sua dolcezza, per quanto fosse soltanto un bimbo piccolo piccolo, non sarà facile che ci disputiamo fra noi, e che, facendo una cosa simile, dimentichiamo il povero Tim.»

«No, papà, mai!» gridarono tutti di nuovo.

«Sono molto felice,» disse il piccolo Bob «sono molto felice.»

La signora Cratchit lo abbracciò, le sue figliole lo abbracciarono, i due giovani Cratchit lo abbracciarono, e Peter e lui si strinsero la mano. Spirito di Tim il Piccolino, la tua essenza infantile veniva veramente da Dio!

«Spettro,» disse Scrooge «qualche cosa mi dice che il momento della nostra separazione si avvicina. Lo so, ma non so come. Ditemi chi era l'uomo che abbiamo visto steso sul letto di morte.»

The Ghost of Christmas Yet To Come conveyed him, as before – though at a different time, he thought: indeed, there seemed no order in these latter visions, save that they were in the Future – into the resorts of business men, but showed him not himself. Indeed, the Spirit did not stay for anything, but went straight on, as to the end just now desired, until besought by Scrooge to tarry for a moment.

«This courts,» said Scrooge, «through which we hurry now, is where my place of occupation is, and has been for a length of time. I see the house. Let me behold what I shall be, in days to come.»

The Spirit stopped; the hand was pointed elsewhere.

«The house is yonder» Scrooge exclaimed. «Why do you point away?»

The inexorable finger underwent no change.

Scrooge hastened to the window of his office, and looked in. It was an office still, but not his.

The furniture was not the same, and the figure in the chair was not himself. The Phantom pointed as before.

He joined it once again, and wondering why and whither he had gone, accompanied it until they reached an iron gate. He paused to look round before entering.

A churchyard. Here, then, the wretched man whose name he had now to learn, lay underneath the ground. It was a worthy place. Walled in by houses; overrun by grass and weeds, the growth of vegetation's death, not life; choked up with too much burying; fat with repleted appetite. A worthy place!

Lo Spettro del Natale Futuro lo trasportò di nuovo – benché, a quanto gli parve, in un momento diverso; in realtà in tutta quest'ultima visione non sembrava esserci alcun ordine, tranne il fatto di essere nel futuro – nei ritrovi degli uomini di affari, ma non gli fece vedere lui stesso. Anzi, lo Spirito non si fermò affatto, ma continuò ad andare avanti, quasi avviandosi alla fine di cui si era parlato poc'anzi, finché Scrooge non lo pregò di fermarsi un momento.

«Questa corte» disse Scrooge «attraverso la quale stiamo correndo adesso, è il luogo dove si trova il mio ufficio e dove è stato per molto tempo. Ecco la casa. Lasciatemi vedere che cosa sarò io nei giorni che verranno.»

Lo Spirito si fermò; la mano indicava un'altra direzione.

«La casa è da quella parte!» esclamò Scrooge. «Perché indicate un altro punto?»

Il dito inesorabile non modificò il suo atteggiamento.

Scrooge corse verso la finestra del suo ufficio e guardò dentro. Era ancora un ufficio, ma non il suo. I mobili non erano gli stessi, e la figura seduta sulla sedia non era la sua. Il Fantasma continuava ad additare come prima.

Lo raggiunse di nuovo, e chiedendo a se stesso perché e dove se n'era andato, lo accompagnò, finché non raggiunsero una cancellata di ferro. Prima di entrare, si fermò per guardarsi attorno.

Un cimitero. Qui dunque giaceva sotto terra il disgraziato del quale doveva ora conoscere il nome. Era un luogo degno di lui. Tutto circondato da case, coperto di erbe selvagge, prodotto della morte, non della vita della vegetazione; soffocato dalle troppe sepolture; pingue per l'appetito sazio. Un posto degno di lui!

The Spirit stood among the graves, and pointed down to One. He advanced towards it trembling. The Phantom was exactly as it had been, but he dreaded that he saw new meaning in its solemn shape.

«Before I draw nearer to that stone to which you point,» said Scrooge «answer me one question. Are these the shadows of the things that Will be, or are they shadows of things that May be, only?»

Still the Ghost pointed downward to the grave by which it stood.

«Men's courses will foreshadow certain ends, to which, if persevered in, they must lead,» said Scrooge. «But if the courses be departed from, the ends will change. Say it is thus with what you show me!»

The Spirit was immovable as ever.

Scrooge crept towards it, trembling as he went; and following the finger, read upon the stone of the neglected grave his own name, EBENEZER SCROOGE.

«Am *I* that man who lay upon the bed?» he cried, upon his knees.

The finger pointed from the grave to him, and back again.

«No, Spirit. Oh no, no!»

The finger still was there.

«Spirit,» he cried, tight clutching at its robe, «hear me! I am not the man I was. I will not be the man I must have been but for this intercourse. Why show me this, if I am past all hope?»

For the first time the hand appeared to shake.

«Good Spirit,» he pursued, as down upon the ground he fell before it «Your nature intercedes for me, and pities me. Assure me that I yet may change these shadows you have shown me, by an altered life!»

Lo Spirito stava ritto fra le tombe, e additò in giù una di esse. Egli vi si diresse, tremando. Il Fantasma era esattamente come prima; ma gli parve, con spavento, di scorgere un nuovo significato nella sua forma solenne.

«Prima che mi avvicini a quella pietra che mi additate» disse Scrooge «rispondete a questa domanda: queste sono le ombre delle cose che saranno, oppure soltanto le ombre delle cose che potrebbero essere?»

Lo Spirito continuava ad additare in giù, verso la tomba, presso la quale si era fermato.

«Il corso che seguono gli uomini lascia prevedere una certa fine, verso la quale conduce, se essi vi perseverano» disse Scrooge; «ma, modificando quel corso, anche la fine deve cambiare. Ditemi che accadrà così anche per quello che mi mostrate!»

Lo Spirito stava immobile come sempre.

Scrooge strisciò verso di lui, tutto tremante, e seguendo il dito lesse sulla pietra di quella tomba negletta il suo stesso nome: EBENEZER SCROOGE.

«Sono *io* l'uomo che giaceva su quel letto?» gridò, cadendo in ginocchio.

Il dito accennò dalla tomba a lui, e da lui nuovamente alla tomba.

«No, Spirito; oh no, no!»

Il dito era ancora immobile.

«Spirito,» gridò, afferrandogli strettamente la veste «ascoltatemi. Io non sono l'uomo che ero prima e non sarò l'uomo che sarei stato se non vi avessi incontrato. Perché mi mostrate tutto questo, se per me ogni speranza è perduta?»

Per la prima volta la mano parve tremare.

«Spirito buono,» proseguì Scrooge, piegandosi ancor più verso terra davanti a lui «la vostra natura intercede per me e ha pietà di me. Assicuratemi che io posso ancora, cambiando la mia vita, cambiare queste ombre che mi avete mostrato!»

The kind hand trembled.

«I will honour Christmas in my heart, and try to keep it all the year. I will live in the Past, the Present, and the Future. The Spirits of all Three shall strive within me. I will not shut out the lessons that they teach. Oh, tell me I may sponge away the writing on this stone!»

In his agony, he caught the spectral hand. It sought to free itself, but he was strong in his entreaty, and detained it. The Spirit, stronger yet, repulsed him.

Holding up his hands in a last prayer to have his fate aye reversed, he saw an alteration in the Phantom's hood and dress. It shrunk, collapsed, and dwindled down into a bedpost.

La mano benevola tremava.

«Voglio onorare il Natale nel mio cuore e cercare di osservarlo per tutto il corso dell'anno. Voglio vivere nel Passato, nel Presente e nel Futuro. Gli Spiriti di tutti e tre vivranno dentro di me. Non rimarrò sordo alle loro lezioni. Oh, ditemi che posso cancellare lo scritto da quella pietra!»

Nel suo tormento afferrò la mano spettrale. Questa cercò di liberarsi, ma egli la stringeva con tutta la forza e la trattenne. Lo Spirito, più forte di lui, lo respinse.

Alzando le mani in un'ultima preghiera perché il suo fato mutasse, vide un'alterazione nel cappuccio e nella veste del Fantasma. Questo si contrasse, cadde e si ridusse alle proporzioni di una colonnina da letto.

The End of It

Yes! and the bedpost was his own. The bed was his own, the room was his own. Best and happiest of all, the Time before him was his own, to make amends in!

«I will live in the Past, the Present, and the Future!» Scrooge repeated, as he scrambled out of bed. «The Spirits of all Three shall strive within me. Oh Jacob Marley! Heaven, and the Christmas Time be praised for this! I say it on my knees, old Jacob, on my knees!»

He was so fluttered and so glowing with his good intentions, that his broken voice would scarcely answer to his call. He had been sobbing violently in his conflict with the Spirit, and his face was wet with tears.

«They are not torn down» cried Scrooge, folding one of his bed-curtains in his arms, «they are not torn down, rings and all. They are here – I am here – the shadows of the things that would have been, may be dispelled. They will be. I know they will!»

His hands were busy with his garments all this time; turning them inside out, putting them on upside down, tearing them, mislaying them, making them parties to every kind of extravagance.

Come tutto andò a finire

Sì, e quella colonnina da letto era la sua. Il letto era il suo, la stanza era la sua. Ciò che era la cosa migliore e più lieta di tutte, il tempo che gli era dinanzi era suo, perché potesse rimediare al passato.

«Voglio vivere nel Passato, nel Presente e nel Futuro!» ripeté Scrooge, balzando fuori dal letto. «Gli Spiriti di tutti e tre vivranno dentro di me. Oh, Jacob Marley, sia lode al Cielo e al Natale per tutto questo! Lo dico in ginocchio, mio vecchio Jacob, in ginocchio!»

Era talmente eccitato e talmente infiammato di buone intenzioni, che la sua voce spezzata funzionava con difficoltà. Nella sua lotta con lo Spirito aveva singhiozzato con violenza e aveva il volto bagnato di lacrime.

«Non sono state strappate via,» gridò Scrooge, prendendo sulle braccia una delle cortine del suo letto «non sono state strappate via con gli anelli e tutto. Sono qui, e io sono qui. Le ombre delle cose che sarebbero accadute possono essere disperse. Saranno disperse; so che lo saranno!»

Durante tutto questo tempo, le sue mani erano occupate coi vestiti, rovesciandoli, indossandoli a rovescio, strappandoli, mettendoli fuori di posto, facendoli partecipare, insomma, a ogni sorta di cose stravaganti.

«I don't know what to do» cried Scrooge, laughing and crying in the same breath; and making a perfect Laocoon of himself with his stockings. «I am as light as a feather, I am as happy as an angel, I am as merry as a schoolboy. I am as giddy as a drunken man. A merry Christmas to everybody! A happy New Year to all the world! Hallo here! Whoop! Hallo!»

He had frisked into the sitting-room, and was now standing there: perfectly winded.

«There's the saucepan that the gruel was in» cried Scrooge, starting off again, and going round the fireplace.

«There's the door, by which the Ghost of Jacob Marley entered! There's the corner where the Ghost of Christmas Present sat! There's the window where I saw the wandering Spirits! It's all right, it's all true, it all happened. Ha ha ha!»

Really, for a man who had been out of practice for so many years, it was a splendid laugh, a most illustrious laugh. The father of a long, long line of brilliant laughs.

«I don't know what day of the month it is» said Scrooge. «I don't know how long I've been among the Spirits. I don't know anything. I'm quite a baby. Never mind. I don't care. I'd rather be a baby. Hallo! Whoop! Hallo here!»

He was checked in his transports by the churches ringing out the lustiest peals he had ever heard. Clash, clang, hammer; ding, dong, bell. Bell, dong, ding; hammer, clang, clash. Oh, glorious, glorious!

Running to the window, he opened it, and put out his head. No fog, no mist; clear, bright, jovial, stirring, cold; cold, piping for the blood to dance to; Golden sunlight; Heavenly sky; sweet fresh air; merry bells. Oh, glorious. Glorious!

«Non so che cosa fare» gridò Scrooge, ridendo e piangendo a un tempo, e trasformando se stesso, a mezzo delle calze, in un perfetto Laocoonte. «Mi sento leggero come una piuma, felice come un angelo, allegro come uno scolaretto, e la testa mi gira come a un ubriaco. Buon Natale a tutti! Buon Anno a tutto il mondo! Urrà! Urrà!»

Era passato nel salotto e si era fermato, assolutamente senza fiato.

«Ecco la scodella nella quale c'era la minestra» gridò Scrooge, rimettendosi in cammino, e andando verso il caminetto. «Quella è la porta dalla quale è entrato lo Spirito di Jacob Marley; quello è l'angolo dove stava seduto lo Spettro del Natale Presente; quella è la finestra dalla quale ho visto gli Spiriti erranti! Tutto è esatto, tutto è vero, tutto è accaduto! Ah, ah, ah!»

Fu davvero una risata splendida: una risata straordinaria, per un uomo fuori esercizio da tanti anni; una risata destinata a generare una lunga, lunga serie di altre risate brillanti.

«Non so che giorno del mese sia,» disse Scrooge; «non so per quanto tempo sono stato in mezzo agli Spiriti. Non so niente. Sono come un neonato, ma non importa. Non importa niente. Preferisco essere un neonato. Urrà, urrà!»

Le campane che stavano suonando nel modo più allegro che avesse mai sentito frenarono il suo entusiasmo. Batti, picchia, battaglio! Din, don campane! Splendido, splendido!

Corse alla finestra, l'aprì e sporse fuori la testa; niente nebbia, niente bruma; una giornata chiara, luminosa, gioviale, stimolante, fredda; un freddo che frustava il sangue e metteva voglia di ballare, un sole d'oro, un cielo incantevole; aria fresca e dolce; campane gioiose. Oh, splendido, splendido!

«What's today?» cried Scrooge, calling downward to a boy in Sunday clothes, who perhaps had loitered in to look about him.

«Eh?» returned the boy, with all his might of wonder.

«What's today, my fine fellow?» said Scrooge.

«Today?» replied the boy. «Why, *Christmas Day*.»

«It's Christmas Day» said Scrooge to himself. «I haven't missed it. The Spirits have done it all in one night. They can do anything they like. Of course they can. Of course they can. Hallo, my fine fellow.»

«Hallo» returned the boy.

«Do you know the Poulterer's, in the next street but one, at the corner?» Scrooge inquired.

«I should hope I did» replied the lad.

«An intelligent boy» said Scrooge. «A remarkable boy! Do you know whether they've sold the prize Turkey that was hanging up there? Not the little prize Turkey: the big one.»

«What, the one as big as me?» returned the boy.

«What a delightful boy» said Scrooge. «It's a pleasure to talk to him. Yes, my buck!»

«It's hanging there now,» replied the boy.

«Is it?» said Scrooge. «Go and buy it.»

«Walk 'er» exclaimed the boy.

«No, no,» said Scrooge. «I am in earnest. Go and buy it, and tell them to bring it here, that I may give them the direction where to take it. Come back with the man, and I'll give you a shilling. Come back with him in less than five minutes and I'll give you half-a-crown.»

The boy was off like a shot. He must have had a steady hand at a trigger who could have got a shot off half so fast.

«Che giorno è oggi?» gridò Scrooge, verso la strada, a un ragazzo vestito da festa, che forse si era fermato proprio per guardare lui.

«Eh...?» rispose il ragazzo, con tutto lo stupore di cui era capace.

«Che giorno è oggi, mio bel figliolo?» chiese Scrooge.

«Oggi...» replicò il ragazzo «ma come? È *Natale!*»

«È Natale» disse Scrooge a se stesso. «Non l'ho lasciato passare. Gli Spiriti hanno fatto tutto in una notte sola. Possono fare qualunque cosa vogliono, naturalmente; naturalmente, possono fare qualunque cosa vogliono.» «Senti, ragazzino!»

«Sì» rispose il ragazzo.

«Conosci il negozio del pollivendolo, all'angolo della seconda strada da qui?» chiese Scrooge.

«Sei un ragazzino intelligente,» disse Scrooge «un ragazzino straordinario. Sai se hanno venduto quel tacchino che c'era appeso in mostra alla bottega? Non il tacchino piccolo, ma quello grosso.»

«Quale, quello grosso come me?» rispose il ragazzino.

«Che ragazzino delizioso! È un piacere parlare con lui. Sì, figliolo mio.»

«È ancora appeso lì» replicò il ragazzo.

«Davvero?» disse Scrooge. «Va' a comperarlo.»

«È matto!» rispose il ragazzo.

«No, no» disse Scrooge. «Dico sul serio. Va' a comperarlo, e di' che lo portino qui, perché possa dare l'indirizzo dove deve essere spedito. Ritorna col commesso e ti darò uno scellino; ritorna con lui in meno di cinque minuti e ti darò mezza corona.»

Il ragazzo partì come una palla di fucile; e chi avesse potuto far partire una palla con una velocità pari a metà della sua avrebbe dovuto avere la mano ben ferma sul grilletto.

«I'll send it to Bob Cratchit's» whispered Scrooge, rubbing his hands, and splitting with a laugh. «He shan't know who sends it. It's twice the size of Tiny Tim. Joe Miller never made such a joke as sending it to Bob's will be!»

The hand in which he wrote the address was not a steady one, but write it he did, somehow, and went downstairs to open the street door, ready for the coming of the poulterer's man. As he stood there, waiting his arrival, the knocker caught his eye.

«I shall love it, as long as I live» cried Scrooge, patting it with his hand. «I scarcely ever looked at it before. What an honest expression it has in its face! It's a wonderful knocker. – Here's the Turkey. Hallo! Whoop! How are you? Merry Christmas!»

It *was* a Turkey. He never could have stood upon his legs, that bird. He would have snapped them short off in a minute, like sticks of sealing-wax.

«Why, it's impossible to carry that to Camden Town,» said Scrooge. «You must have a cab.»

The chuckle with which he said this, and the chuckle with which he paid for the Turkey, and the chuckle with which he paid for the cab, and the chuckle with which he recompensed the boy were only to be exceeded by the chuckle with which he sat down breathless in his chair again, and chuckled till he cried.

Shaving was not an easy task, for his hand continued to shake very much; and shaving requires attention, even when you don't dance while you are at it. But if he had cut the end of his nose off, he would have put a piece of sticking-plaster over it, and been quite satisfied.

«Lo voglio mandare a Bob Cratchit» mormorò Scrooge, fregandosi le mani e scoppiando in una risata. «Non saprà chi è che glielo ha mandato. È grande il doppio di Tim il Piccolino. Nessuno ha mai fatto uno scherzo così ben riuscito come quello di mandare quel tacchino a Bob!»

La calligrafia con la quale scrisse l'indirizzo non era molto ferma; tuttavia, in un modo o nell'altro, lo scrisse, poi scese giù ad aprire la porta di strada per trovarsi pronto all'arrivo del commesso del pollivendolo. Mentre stava sulla porta, aspettando quell'arrivo, gli cadde sott'occhio il batacchio.

«A questo vorrò bene finché vivo» gridò Scrooge, accarezzandolo con le mani. «E dire che prima lo avevo appena guardato! Che espressione onesta c'è in quella faccia! È un batacchio magnifico. Ma ecco il tacchino. Hello, come state? Buon Natale!»

Quello *era* un tacchino! È impossibile che quell'uccello fosse mai stato in piedi. Le zampe gli si sarebbero piegate sotto in un minuto, come bastoncini di ceralacca.

«Ma è impossibile portarlo fino a Camden Town. Bisogna che prendiate una carrozza.»

Il risolino col quale pronunciò queste parole, e quello col quale pagò il tacchino, e quello col quale pagò la carrozza, e quello col quale ricompensò il ragazzo, furono superati soltanto da quello col quale tornò a sedersi senza fiato nella sua sedia, continuando a ridere finché non gli venne da piangere.

Farsi la barba non fu cosa facile, perché la mano continuava a tremargli molto; e farsi la barba è una cosa che richiede attenzione anche quando uno, facendosela, non si mette a ballare; pure, se si fosse tagliato la punta del naso, ci avrebbe messo sopra un pezzetto di cerotto e sarebbe stato perfettamente soddisfatto lo stesso.

He dressed himself all in his best, and at last got out into the streets. The people were by this time pouring forth, as he had seen them with the Ghost of Christmas Present; and walking with his hands behind him, Scrooge regarded every one with a delighted smile. He looked so irresistibly pleasant, in a word, that three or four good-humoured fellows said: «Good morning, sir! A merry Christmas to you!».

And Scrooge said often afterwards, that of all the blithe sounds he had ever heard, those were the blithest in his ears.

He had not gone far, when coming on towards him he beheld the portly gentleman, who had walked into his counting-house the day before, and said: «Scrooge and Marley's, I believe». It sent a pang across his heart to think how this old gentleman would look upon him when they met; but he knew what path lay straight before him, and he took it.

«My dear sir» said Scrooge, quickening his pace, and taking the old gentleman by both his hands. «How do you do? I hope you succeeded yesterday. It was very kind of you. A merry Christmas to you, sir!»

«Mr Scrooge?»

«Yes» said Scrooge. «That is my name, and I fear it may not be pleasant to you. Allow me to ask your pardon. And will you have the goodness» – here Scrooge whispered in his ear.

«Lord bless me» cried the gentleman, as if his breath were taken away. «My dear Mr Scrooge, are you serious?»

«If you please» said Scrooge. «Not a farthing less. A great many back-payments are included in it, I assure you. Will you do me that favour?»

«My dear sir,» said the other, shaking hands with him. «I don't know what to say to such munifi...»

Si vestì dei suoi abiti migliori, e finalmente uscì in strada. In quel momento la gente stava uscendo dalle case, così come egli l'aveva vista in compagnia dello Spettro del Natale Presente. E Scrooge, camminando con le mani dietro la schiena, guardava tutti quanti con un sorriso compiaciuto. Per dirla in breve, aveva l'aria così irresistibilmente piacevole che tre o quattro tipi di buon umore dissero «Buon giorno, signore, buon Natale», e Scrooge disse spesso, più tardi, che di tutti i suoni gioiosi che egli aveva mai udito, quelli al suo orecchio erano stati i più gioiosi.

Non aveva fatto molta strada, quando vide venirgli incontro quel signore imponente che il giorno prima era entrato nel suo ufficio dicendo: «La ditta Scrooge e Marley, credo». Sentì un colpo al cuore nel pensare all'occhiata che gli avrebbe dato il vecchio signore nel momento in cui si fossero incontrati; ma conosceva ormai quale strada gli si apriva diritta dinanzi e la prese.

«Caro signore,» disse Scrooge, affrettando il passo, e prendendo il vecchio per entrambe le mani «come state? Spero che abbiate avuto successo ieri. È stato molto gentile da parte vostra. Buon Natale, signore!»

«Il signor Scrooge?»

«Sì,» disse Scrooge «questo è il mio nome, e ho paura che non vi riesca molto gradito. Permettetemi di chiedervi scusa, e vogliate avere la bontà...» e qui Scrooge gli sussurrò qualcosa all'orecchio.

«Signore Iddio!» gridò il signore, come se gli fosse stato mozzato il fiato. «Mio caro signor Scrooge, parlate sul serio?»

«Per favore» disse Scrooge «neanche un soldo di meno. In questa somma, vi assicuro, sono compresi molti arretrati. Volete farmi questo favore?»

«Ma, caro signore,» disse l'altro, stringendogli la mano «non so che cosa dire di fronte a una simile munifi...»

«Don't say anything please,» retorted Scrooge. «Come and see me. Will you come and see me?»

«I will» cried the old gentleman. And it was clear he meant to do it.

«Thank you» said Scrooge. «I am much obliged to you. I thank you fifty times. Bless you.»

He went to church, and walked about the streets, and watched the people hurrying to and fro, and patted children on the head, and questioned beggars, and looked down into the kitchens of houses, and up to the windows, and found that everything could yield him pleasure. He had never dreamed that any walk – that anything – could give him so much happiness. In the afternoon he turned his steps towards his nephew's house.

He passed the door a dozen times, before he had the courage to go up and knock. But he made a dash, and did it: «Is your master at home, my dear?» said Scrooge to the girl. Nice girl! Very.

«Yes, sir.»

«Where is he, my love?» said Scrooge.

«He's in the dining-room, sir, along with mistress. I'll show you upstairs, if you please.»

«Thank 'ee. He knows me,» said Scrooge, with his hand already on the dining-room lock. «I'll go in here, my dear.»

He turned it gently, and sidled his face in, round the door. They were looking at the table (which was spread out in great array); for these young housekeepers are always nervous on such points, and like to see that everything is right.

«Fred!» said Scrooge.

Dear heart alive, how his niece by marriage started! Scrooge had forgotten, for the moment, about her

«Non dite niente, vi prego» replicò Scrooge. «Venite a trovarmi. Verrete a trovarmi?»

«Ma certo» esclamò il vecchio signore, ed era chiaro che diceva sul serio.

«Grazie,» disse Scrooge «vi sono molto obbligato. Vi ringrazio mille volte. Dio vi benedica.»

Si recò in chiesa, passeggiò per le strade, guardò la gente che si affrettava in tutti i sensi, accarezzò bambini sulla testa, rivolse la parola ai mendicanti, guardò dentro le cucine delle case e dentro le finestre, e trovò che tutto quanto gli procurava piacere. Non aveva mai sognato che una passeggiata, che una cosa qualunque potesse dargli tanta felicità. Nel pomeriggio si diresse verso la casa di suo nipote.

Passò e ripassò davanti alla porta una dozzina di volte, prima di avere il coraggio di andar su e bussare. Finalmente si decise e lo fece.

«È in casa il vostro padrone, mia cara?» disse Scrooge alla domestica. Ragazza graziosa. Davvero!

«Sì, signore.»

«Dov'è, amor mio?» disse Scrooge.

«È in sala da pranzo, insieme con la signora. Vi accompagno di sopra, se volete.»

«Grazie, lui mi conosce» disse Scrooge, che aveva già la mano sulla maniglia della sala da pranzo. «Entrerò qui, mia cara.»

Fece girare la maniglia pian piano, e si affacciò alla porta semiaperta. Stavano guardando la tavola apparecchiata con un gran lusso, perché i padroni di casa, quando sono giovani, sono sempre nervosi su questo punto e vogliono esser sicuri che tutto sia in perfetto ordine.

«Fred!» disse Scrooge.

Signore! come trasalì la sua nipote acquisita! Per un attimo Scrooge si era scordato che c'era anche

sitting in the corner with the footstool, or he wouldn't have done it, on any account.

«Why bless my soul» cried Fred, «who's that?»

«It's I. Your uncle Scrooge. I have come to dinner. Will you let me in, Fred?»

Let him in! It is a mercy he didn't shake his arm off.

He was at home in five minutes. Nothing could be heartier.

His niece looked just the same. So did Topper when he came. So did the plump sister when she came. So did every one when they came. Wonderful party, wonderful games, wonderful unanimity, wonderful happiness!

But he was early at the office next morning. Oh, he was early there. If he could only be there first, and catch Bob Cratchit coming late! That was the thing he had set his heart upon.

And he did it; yes, he did. The clock struck nine. No Bob. A quarter past. No Bob. He was full with his door wide open, that he might see him come into the Tank.

His hat was off, before he opened the door; his comforter too. He was on his stool in a jiffy; driving away with his pen, as if he were trying to overtake nine o'clock.

«Hallo» growled Scrooge, in his accustomed voice, as near as he could feign it. «What do you mean by coming here at this time of day?»

«I am very sorry, sir» said Bob. «I *am* behind my time.»

«You are?» repeated Scrooge. «Yes. I think you are. Step this way, sir, if you please.»

«It's only once a year, sir» pleaded Bob, appearing

lei, seduta in un angolo, col panchettino sotto i piedi; altrimenti non lo avrebbe fatto di certo.

«Ma come, benedetto Iddio,» gridò Fred «chi è mai?»

«Sono io, tuo zio Scrooge. Son venuto a pranzo. Vuoi lasciarmi entrare, Fred?»

Lasciarlo entrare! È un miracolo che, stringendogli la mano, non gli staccasse addirittura il braccio. Si sentì a casa propria in cinque minuti. Non c'era nulla che potesse essere più cordiale. Sua nipote aveva esattamente lo stesso aspetto, e così Topper quando arrivò, e così la sorellina paffutella quando arrivò e così tutti quanti quando arrivarono. Festa meravigliosa, giochi meravigliosi, armonia meravigliosa, felicità meravigliosa!

Però la mattina seguente arrivò presto in ufficio. Oh, se ci arrivò presto! Solo poter arrivare per primo e sorprendere Bob Cratchit che arrivava in ritardo: era questa la cosa che più gli stava a cuore.

E vi riuscì; sì, vi riuscì. L'orologio batté le nove. Niente Bob; le nove e un quarto – niente Bob. Era ben diciotto minuti e mezzo in ritardo. Scrooge stava seduto con la porta spalancata, in modo da poterlo veder entrare nella cisterna.

Si era levato il cappello e la sciarpa prima di aprire la porta, e si arrampicò in un baleno sul suo panchetto, correndo via con la penna come se tentasse di riacchiappare le nove.

«Ehi là!» grugnì Scrooge, con la sua voce consueta, imitandola il più fedelmente possibile. «Che cosa significa arrivare a quest'ora?»

«Vi chiedo mille scuse, signor Scrooge,» disse Bob «sono in ritardo.»

«Davvero?» ripeté Scrooge. «Sì, credo che siate in ritardo. Venite un momento qua, per favore!»

«Una volta sola all'anno, signor Scrooge» supplicò

The End of It

from the Tank. «It shall not be repeated. I was making rather merry yesterday, sir.»

«Now, I'll tell you what, my friend,» said Scrooge, «I am not going to stand this sort of thing any longer. And therefore,» he continued, leaping from his stool, and giving Bob such a dig in the waistcoat that he staggered back into the Tank again; «and therefore I am about to raise your salary.»

Bob trembled, and got a little nearer to the ruler. He had a momentary idea of knocking Scrooge down with it, holding him, and calling to the people in the court for help and a strait-waistcoat.

«A merry Christmas, Bob!» said Scrooge, with an earnestness that could not be mistaken, as he clapped him on the back. «A merrier Christmas, Bob, my good fellow, than I have given you for many a year!I'll raise your salary, and endeavour to assist your struggling family, and we will discuss your affairs this very afternoon, over a Christmas bowl of smoking bishop, Bob! Make up the fires, and buy another coal-scuttle before you dot another *i*, Bob Cratchit.»

Scrooge was better than his word. He did it all, and infinitely more; and to Tiny Tim, who did *not* die, he was a second father. He became as good a friend, as good a master, and as good a man, as the good old city knew, or any other good old city, town, or borough, in the good old world. Some people laughed to see the alteration in him, but he let them laugh, and little heeded them; for he was wise enough to know that nothing ever happened on this globe, for good, at which some people did not have their fill of laughter in the outset; and knowing that such as

Bob, venendo fuori dalla cisterna. «Non succederà più. Ieri siamo stati un po' allegri.»

«Ora vi dirò una cosa, amico mio» disse Scrooge. «Non intendo tollerare più a lungo questa razza di cose, e perciò» proseguì, balzando su dalla sedia e dando a Bob una tale spinta nel panciotto da farlo andare all'indietro barcollando dentro la cisterna «e perciò mi propongo di aumentarvi lo stipendio.»

Bob tremò e si avvicinò un po' più alla riga. Ebbe per un momento l'idea di servirsene per stordire Scrooge, e poi tenerlo fermo e chiedere alla gente della corte aiuto e una camicia di forza.

«Buon Natale, Bob!» disse Scrooge, con una serietà che non poteva essere fraintesa, battendogli sulle spalle. «Un Natale più buono, Bob, mio bravo figliolo, di quelli che vi ho dato per molti anni! Vi aumenterò lo stipendio e tenterò di assistere la vostra famiglia nelle sue difficoltà; e questo stesso pomeriggio discuteremo i vostri affari, seduti davanti a un bel *punch* natalizio fumante. Ravvivate il fuoco, Bob Cratchit, e comperatevi un'altra paletta per il carbone, prima di mettere il punto su un'altra *i*.»

Scrooge fece più che mantenere la parola. Fece tutto quanto, e infinitamente di più: e per Tim il Piccolino, il quale *non* morì, fu un secondo padre. Divenne un amico, un padrone, un uomo così buono, come mai poteva averne conosciuto quella buona vecchia città, o qualunque altra buona vecchia città, borgata o villaggio di questo buon mondo. Alcuni ridevano, vedendo il suo cambiamento, ma egli era abbastanza saggio da sapere che su questo globo niente di buono è mai accaduto, di cui qualcuno non abbia riso al primo momento. E sapendo che in ogni modo la gente siffatta è cieca, pensò che non aveva nessuna importanza se strizzavano gli occhi in un

these would be blind anyway, he thought it quite as well that they should wrinkle up their eyes in grins, as have the malady in less attractive forms. His own heart laughed: and that was quite enough for him.

He had no further intercourse with Spirits, but lived upon the Total Abstinence Principle, ever afterwards; and it was always said of him, that he knew how to keep Christmas well, if any man alive possessed the knowledge. May that be truly said of us, and all of us! And so, as Tiny Tim observed, God bless Us, Every One!

sogghigno, come fanno gli ammalati di certe forme meno attraenti di malattie. Il suo cuore rideva e questo per lui era perfettamente sufficiente.

Non ebbe più nessun rapporto con Spiriti; ma visse sempre, d'allora in poi, sulla base di una totale astinenza; e di lui si disse sempre che se c'era un uomo che sapesse osservare bene il Natale, quell'uomo era lui. Possa questo esser detto veramente di noi, di noi tutti! E così, come diceva Tim il Piccolino, Dio ci benedica, ciascuno di noi!

Indice

V   *Introduzione*
di G.K. Chesterton

XI   *Cronologia*

XVII *Bibliografia*

A CHRISTMAS CAROL
BALLATA DI NATALE

4	Stave one	Marley's Ghost
5	Strofa prima	Lo spettro di Marley
54	Stave two	The First of the Three Spirits
55	Strofa seconda	Il primo dei tre Spiriti
98	Stave three	The Second of the Three Spirits
99	Strofa seconda	Il secondo dei tre Spiriti
158	Stave four	The Last of the Spirits
159	Strofa quarta	L'ultimo degli Spiriti
198	Stave five	The End of It
199	Strofa quinta	Come tutto andò a finire